危機の時代を生きる

聖教新聞報道局編

040

潮出版社

序に代えて

本書は、聖教新聞紙上で連載中の「危機の時代を生きる」から、テーマ別に選んだ識者インタビュー等の一部を書籍化したものである。

二〇二〇年三月十一日、ＷＨＯ（世界保健機関）は、新型コロナウイルス感染症のパンデミック（世界的大流行）を宣言した。

日本でも、三月末に著名な芸能人の突然の訃報《ふほう》が全国を駆け巡り、このウイルスの脅威《きょうい》に対する不安は急激に高まった。重症化した最愛の人を、看病することも、手を握ることさえもできず、また心の準備もできないままに、突然失った遺族の計り知れない悲しみ。自分自身を含め、あらゆる人々の生命と尊厳、それまでの生活が、急激に脅《おびや》かされる事態を前に、世界中の人々が途方に暮れざるを得なかった。

新型コロナウイルスとは、どういったウイルスなのか。感染拡大を防ぐにはどうしたらいいのか。長期化するコロナ禍の中で希望を持って進むためには、どのような視点や生き方が必要か。私たち記者の間でも、多くの読者が抱《いだ》くであろう幾多の疑問や悩みに対して、少しでも未来に希望の持てる論調を届けねばならないという思いがつのった。

二〇年四月七日、日本で初めてとなる七都府県への緊急事態宣言（十六日に全国に拡大）が発令された直後、まずは各分野の第一線を走り続ける識者の方々に、コロナ時代に立ち向かうための視点を伺いたい――そういった思いから、本書に登場していただいた方々へのインタビュー企画が始まった。

プラン会議を重ねる中、連載のタイトルはどうするかという話になった。ある記者が「危機の時代」とつぶやいた。時代を象徴する言葉だと、皆が賛同しながらも、「危機の時代」の諸相を示して終わるような連載にはしたくない。この困難な時代を「生きて、生きて、生き抜く知恵」を発信していくという強い思いを込めて、「危機の時代を生きる」となった。

多様な危機の実相を明らかにするため、インタビューをお願いする先生方も多くの分野にわたった。公衆衛生、医学、免疫、生命科学、歴史、経済、教育、災害、社会心理、メディア、国際関係など、それぞれの専門の立場から、コロナ禍の今について語っていただいた。

インタビューを進める中で、多くの方々が共通して指摘していたことがある。それは、現在、私たちが直面している危機は、何もコロナ禍によって始まったものではないということだ。

　時代を見つめれば、頻発する異常気象や自然災害は年々、その激しさを増しており、地球温暖化や気候変動の問題に対して、人類が連帯して対応しなければ未来はない。にもかかわらず、世界においては自国優先主義がはびこり、各国内では深刻な経済格差などからくる、分断や差別による衝突の様相《ようそう》を呈《てい》している。つまり、コロナ禍以前から私たちが抱《かか》えていながら、対処を先送りにし、場合によっては見て見ぬふりをしてきた数々の危機が、今回のパンデミックによって広く可視化され、はっきりと浮かび上がってきたということだろう。

　その意味でも今回のコロナ禍は、人類が直面する「危機の時代」を私たちが直視し、それに立ち向かうために、自らの視点や生き方の転換を成し遂げていく「ターニングポイント」にしていかなくてはならない。そういう思いを強く抱きながら、現在も取材を続けている。

「危機の時代を生きる」の新聞連載では、本書で紹介させていただく識者の方々へのインタビューに加え、創価学会学術部・ドクター部のメンバーによる多角的な寄稿や、コロナ禍の中で知恵を振り絞りながら懸命に前を向く学会員の多彩な体験談も紹介している。一人でも多くの読者にとって、この事態への理解がさらに深まり、困難に立ち向かう勇気がわいてくることを願って、掲載を続けていることを一言付け加えさせていただきたい。

本書が、コロナ時代という「未曾有の危機」を生き抜く上での一筋の光明となり、希望の一書となれば、望外の喜びである。

聖教新聞「危機の時代を生きる」取材班

危機の時代を生きる——目次

第4章——コロナ禍の「多様なリスク」と戦う　223

一、本書は、「聖教新聞」に連載された「危機の時代を生きる」から二六人のインタビュー等を収録し、加筆・修正したものです。
一、各節の冒頭に掲載年月日を記載しました。
一、時系列等は新聞掲載時のものです。

第1章

人類は
ウイルスと
どう向き合うか

2020年12月19日付掲載

長期化するコロナ禍で模索する「新しい共感」

コロナ禍という未曾有の困難に見舞われた、2020年の師走に、山本教授にインタビューをした。危機の中から、何を学び、いかに希望を育んでいくのか——。

山本太郎

長崎大学熱帯医学研究所教授

やまもと・たろう　医師、博士（医学、国際保健学）。一九六四年生まれ。長崎大学医学部卒業。京都大学大学院医学研究科助教授、外務省国際協力局勤務などを経て、長崎大学熱帯医学研究所教授。専門は国際保健学、熱帯感染症学、感染症対策。アフリカ、ハイチなどで感染症対策に従事。著書に『感染症と文明』『疫病と人類』など。

〝マラソン〟を走る覚悟と辛抱が必要

――長期化する新型コロナのパンデミック（世界的大流行）を、どのように捉えていらっしゃいますか。また、今後の見通しについて教えてください。

今回のコロナ禍には、医学的な感染症としてのパンデミックと、経済的・社会的に及ぼした影響という意味でのパンデミック、そして情報のパンデミックという、三つの複合的な側面があります。

これらが並行して進んでいるにもかかわらず、どの側面について話しているかを明確に意識せず、区別してこなかったことにより、より大きな混乱が生じたと考えています。

今後の見通しについて申し上げれば、まず収束とは、人口の一定数が免疫を持った時に迎えるものです。その一定数は、基本再生産数から考えて六割程度だといわれていますが、個人的にはもっと低くてもいいと思っています。三割の人口が免疫を持てば、収束へかなりの程度まで進むのではないでしょうか。

収束までの道程《みちのり》をフルマラソンに例えれば、現在は「一〇キロ地点」付近を走っているといえます。

子どもは感染率が低く、重症化しにくいなど、ウイルスの特徴が少しずつ分かってきたことは大きな前進です。また、ワクチンの開発も進んでいます。

一方で、流行の地域差の原因など、分からないことはまだ多くあります。冬本番を迎えるに当たり、未体験のゾーンばかりです。インフルエンザの流行が起こった場合などを考えると、折り返し地点には至っていないといえるでしょう。

これらを実際に経験していく中でしか、今回のパンデミックの全容については分からないと考えています。

このマラソンは、一〇〇メートルを一生懸命に走るような短距離走ではありません。一年、二年という長い時間を要するという覚悟を持って、長距離走の走り方をしていくことが重要だと思います。

収束までの道程を〝ウイルスとの戦争〟と捉え、感染するかしないかが善悪の基準であるような見方をすると、社会全体が息苦しくなってしまいます。流行が落ち着き、風邪のように社会に定常化するまでは、辛抱が必要なのです。

――感染症と人類の関係を、文明の発祥にさかのぼって考察されています。

メソポタミア、中国、そしてインド亜大陸と、各地で起こった文明と風土、感染症と社会を俯瞰《ふかん》すると、「感染症と文明」を巡る四つの基本構造があることに気付きます。

第一は、文明が人口増加を通して、はしかや天然痘《てんねんとう》、百日咳《ひゃくにちぜき》などが流行する土壌となることで、「感染症のゆりかご」として機能したということです。

第二に、文明の中で育まれた感染症は、生物学的障壁となって、その文明を保護する役割を担いました。感染症への免疫を持たない集団が侵略してきた際、攻めてきた側は、ばたばたと倒れていったのです。感染症が社会を守る〝盾〟となったということです。

第三は、文明が、勢力を拡大しながら周辺の感染症を取り込み、免疫を獲得して、自らの疾《しっ》病《ぺい》のレパートリーを増大させてきた点です。これにより感染症は、文明を防御する側面を持つと同時に、文明の拡大を支援する強力な武器にもなったのです。

そして第四に、疾病の存在が社会のあり方に影響を与えたことが挙げられます。今回の新型コロナウイルスに当てはめれば、感染拡大が、デジタル化や情報社会へのさらなる移行を促したことにも通じるでしょう。

このように、感染症と人類の関係は、決して単純ではありません。にもかかわらず、ウイルス研究が病原体の研究として始まったために、「ウイルス＝悪いもの」と、考えられがちなのです。

実際は、病気の原因となっているウイルスは全体の〇・〇一パーセントか、それ以下に過ぎず、大半は人類にとって良い働きをしているのだということを、私たちは理解しておく必要があります。

ウイルスの目線から見る

――そうした歴史から、私たちが教訓とすべきことは。

まず申し上げておきたいのは、パンデミックは必ず終わるということです。長い時間はかかりますが、必ず終わるという認識を持つことは大切です。

その上で、私たちはウイルスを、感染症を起こす病原体として、感染される側の宿主《しゅくしゅ》の目線からしか見てきませんでした。今後は、〝ウイルスの目線〟から見ることが必要ではないでしょうか。

どういうことかというと、ウイルスにとって、宿主である人間がいなくなれば、自分たちも生きていけないわけです。つまり、感染によって宿主の生命を奪うことは、ウイルスにとっても不利益なのです。そう考えると、ウイルスが宿主を〝敵〟と考えることは、長い目で見るとありえません。

ではもし、ウイルスが人間に何かしらの悪さをするのであれば、それは離れて生息していた野生動物が人間の社会に入り、これまでその動物を宿主としていたウイルスが、新たな宿主としての人間と、上手に付き合えていないからだと考えることができます。

そうであれば、ウイルスが時間をかけて、できるだけ穏やかに変異しながら、重い病気を起こさないよう弱毒化することは、お互いにとってメリットがあります。そのためにどうするかを、考えていくことが賢明であると思います。

反対に、ワクチンや治療薬でせん滅しようとしたり、過度な攻撃をしたりすると、ウイルスはどんどん変異して強毒化することが分かっています。いわば、素手同士で戦っている状態から、どちらかが棒を持つと、もう一方も棒を持つようなものです。それがエスカレートすると、刀や銃へと変わっていくのです。

そう考えると、私たちが取るべき対策はおのずと見えてきます。人間も自然の一部なのですから、〝一人勝ち〟するということは考えられません。

心地よいものではありませんが、「共生」の道を探っていくべきでしょう。

――共生を模索する上で、心掛けるべきことは。

多くの人が共生を難しいと感じてしまうのは、「個」と「集団」の利益が、相反するからだと思います。

感染によって亡くなる人は多くいます。共生といっても、個々の遺族にとっては、とても許容できるものではありません。

一方で、ウイルスをせん滅させると、誰も免疫を持っていない状況が生まれ、万が一、そのウイルスが再び人の社会に入ってきた時には、もっとひどい影響を与えることになります。そう考えると、せん滅するよりも、共生していくこと自体の利点もあるのです。

このように、「個」の利益と「集団」の利益が相反する事象を、どのように整理していくかは、いまだに答えがありません。

ウイルスを研究している公衆衛生の立場からは、共生ということがいえますが、現場の医療関係者にとっては、目の前の患者を救うことが第一です。

共生という言葉は美しく聞こえるかもしれませんが、決して簡単なものではないのです。その事実を認識し、長い時間をかけて、それぞれの場面に応じて柔軟に捉えていく必要があると思います。

思いやりの精神を大切に

――〝一人勝ちはできない〟という意味では、個人にあっても、自分だけの心地よさを追い求める生き方から、他者にも配慮する生き方への転換が求められています。

その通りだと思います。人間の行き過ぎた環境開発や、二酸化炭素の排出、資源の無駄遣いなどを見直すことも、具体的な行動ですね。ＳＤＧｓ（持続可能な開発目標）の達成を含めて、次の時代に託す地球のあり方を、考えていかなければなりません。

歴史上、人間が文明を生み出した背景には、他者に対する思いやりや、他者を理解しようとする努力があったと考えられます。文明を築くということは、一つの社会協力体制をつくるということです。そうした協働作業は、他人に対する理解や共感がなくては成功し得ません。相手を思いやるといった精神がなければ、おそらく今のような文明は、つくられていないのではないかと思うのです。

今、「新しい生活様式」という考え方が定着し、一定以上の身体的距離を取ることが当たり前になりました。しかし、これは決して、未来にわたって取るべき行動ではないと考えます。なぜかというと、人間は言葉をしゃべる前から、共に歌ったり、踊ったりしながら共鳴し、コミュニケーションをとってきた生き物だからです。それが、人間が人間たるゆえんであると私は思います。

新しい社会を築く上で、身体的距離や社会的距離だけではなく、〝心の距離〟をどう測っていくかを、真剣に考えなければなりません。これまでとは違う一つ上のステージで、人間関係を見つめ、「新しい共感」のあり方を模索していくべきです。

そうした社会のあり方は、「しなやかで柔軟な社会」と表現できると思います。閉鎖的、分断的に感染症に向き合うのではなく、一体となって取り組む社会です。

歴史上、たとえウイルスに強靱《きょうじん》な監視的社会をつくっても、また新たなウイルスが、その社会の弱点をつく形で現れてきます。そんな時、市民が互いにエンパワーメント（内発的な力の開花）し、高め合えるような民主的な社会の方が、感染症に対しては強いのです。

一人ではなく皆で乗り越える。希望を育み合える社会の構築を

――世界の各地で研究に従事してこられた経験を通して、「希望」を持つことの大切さを訴えていらっしゃいます。

二〇年以上前に、エイズ対策を目的としてアフリカに滞在しました。現在のような治療薬はなく、私たちにできる唯一の対策は、予防でした。毎日、村から村へと回り、感染症予防の重要性を説くのですが、それがなかなかうまくいきません。

そんなある時、一人の青年が言いました。「二〇年後に生きている保証はないじゃないか。エイズじゃなくても飢餓や暴力、戦争で死んでいる。今、予防をする意味を感じられない」と。

対策がうまくいかなかったのは、感染症に対する現地の人々の理解が足りなかったわけでも、私たちの説明が悪かったわけでもなく、彼らが、一〇年後の自分の未来を想像できなかったからなのです。

未来に希望を持てなければ、感染症に立ち向かうことはできないと、思い知らされました。希望を抱くことが、医学的また心理的にどう影響するかは、私の専門外ですが、個人としては、人の行動にポジティブな効果をもたらすと思っています。人間は未来が見えない中で走り続けていくことが、一番苦しいからです。

その意味で、「パンデミックは必ず終わる」という認識は、一つの希望になると考えます。長期化するコロナ禍に対して心が折れないためにも、希望を持てる社会を築くことが必要ではないでしょうか。

宗教は本来、絶望や悲しみを和《やわ》らげるためのものであったと理解しています。そうした希望を阻《はば》むような要因を取り除くことで、ある意味では、希望の源泉になってきました。

そして希望を育むために必要な励ましや支えを、常日頃から送り合っているのが、宗教コミュニティーであるといえます。

今の近代的な社会では、コミュニティーの力が弱まってきている側面があります。

だからこそ、一人では難しいことも、皆で協力して乗り越えるといった社会を構築することが、ますます大切であると思います。

2020年11月12日付掲載

感染症は環境問題
思いやりの精神が
持続可能な未来をつくる

人類は誕生以来、地球環境の多様な変化の中で生きてきた。感染症と向き合う鍵は、人間と自然の関わりの歴史を見つめることにあろう。環境史を専門とする石弘之氏に聞いた。

石 弘之

環境ジャーナリスト

いし・ひろゆき　一九四〇年、東京都生まれ。東京大学卒業。朝日新聞社ニューヨーク特派員などを経て、国連環境計画（UNEP）に上級顧問として出向し、九四年に退社。東京大学や北海道大学大学院の教授、ザンビア大使を歴任してきた。主な著書に『地球環境報告』『名作の中の地球環境史』『環境再興史』など。

――コロナ禍の長期化によって、ある意味で、多くの人々がウイルスを〝身近〟な存在として捉えるようになりました。

ウイルスは、約一万分の一ミリと非常に微小で、大気中や深海など地球上のあらゆる場所に存在しています。遺伝子を保有するものの、生物の最小単位である細胞を持たないことなどから、生物と無生物の境界線上に位置付けられています。

ウイルスの歴史は古く、今から三〇億年前には誕生していたとされます。一方、コロナウイルスが登場したのは今から約一万年前と推定されていますが、最近、六万年前の化石人類であるネアンデルタール人のＤＮＡからも、コロナウイルスに感染した痕跡《こんせき》が見つかっています。

人類は常にウイルスと共存してきた、といっても過言ではないでしょう。

ウイルスは「病気の原因」という印象が強いですが、人間に害を及ぼすものは、膨大な種類の中のごく一部です。しかもそれらのウイルスは、決して意志を持って毒性を強めたわけではなく、遺伝子の変化の過程で、たまたま毒性が備わったと考えられます。

人間の体内には、約三八〇兆ものウイルスが存在しています。人間が生きる上で欠かせない働きをするものの、生物の進化に大きく関わってきたものもいます。

本来なら遺伝子は、親から子、子から孫へと〝垂直方向〟に伝わりますが、ウイルスは、ある生物から他の生物へ、種の壁を越えて、〝水平方向〟に遺伝子を運ぶ役割を担っています。それが、それぞれの生物種の遺伝子に組み込まれることで、進化を促す一因になるのです。人間の遺伝子の約四割は、ウイルスによって運び込まれたとする説もあります。

例えば、一部の哺乳類が保有する「胎盤《たいばん》」は、ウイルス由来の遺伝子による進化で獲得したものです。胎児は、父親の遺伝子を半分引き継いでいるため、母親の免疫システムにとっては排除の対象となりますが、母親の体内にいるウイルスが膜を形成し、胎児を包み込むことで攻撃から守っているのです。

――著書『感染症の世界史』の「あとがき」で、「人は病気の流行を招きよせるような環境をつくってきた」とつづられています。今回の新型コロナウイルスの世界的流行を、どのように見ていますか。

新型コロナウイルスは、〝世渡り上手〟なウイルスだと思います。感染しても無症状の場合が多い上、人間の体内に抗体がつくられにくい特性を持つなど、人類の感染予防対策の網目をすり抜けるからです。

ウイルスは自らの意志ではなく、人によって広がります。私たち人類の方から、ウイルスが蔓延《まんえん》しやすい状況をつくり出してきたということです。

具体的な要因としてはまず、世界各地で進行する「都市化」が挙げられます。特に、ここ一〇〇年間の都市化のスピードは著《いちじる》しい。二十世紀初めには全体の二割程度だった都市人口が、今では約五割にまで上《のぼ》っています。

一定の地域に多くの人間が集まって暮らせば、その分、ウイルスは感染しやすい。人口密度の高い地域は、彼らにとって〝快適〟な環境といえます。

さらに、都市化の中で進む交通機関の発達は、長距離かつ短時間でのウイルスの移動を可能にしました。

また、肉食文化の広がりによる家畜の増加や、森林破壊などによる野生動物の居住環境の変化も感染拡大の要因であるといえます。

今回の新型コロナウイルスの自然宿主（もともとウイルスと共生している生物）とされるコウモリも、本来のすみかを追われ、人や家畜との接触機会が増えました。そのため、彼らの保有するウイルスが、センザンコウやジャコウネコなどの中間宿主を経て、最終宿主である人間に感染したと考えられます。

――今後、コロナ禍を巡る状況はどのように推移するとお考えですか。

感染症の終息は、非常に複雑で判断が難しい。過去の事例を見ても、はっきりと終息と断定できたものは多くありません。二〇〇三年に流行したＳＡＲＳ（重症急性呼吸器症候群）に対して、ＷＨＯ（世界保健機関）が終息宣言を出したことは、むしろ例外に当たります。

なぜ終息を見極めるのが困難かといえば、人類と感染症との戦いは、〝いたちごっこ〟のようなものだからです。いくらワクチンを開発しても、しばらくすれば、耐性を持った新種が生まれ、流行を繰り返します。新型コロナウイルスのワクチン開発も進んでいるようですが、医学的に完全に抑え込むことは難しいでしょう。

それよりも、コロナに対する人々の捉え方が、社会的・心理的に徐々に変化していくのが、一つの収束のあり方だと思います。「ウィズ・コロナ」という言葉があるように、何度か感染流行を繰り返す中で、インフルエンザのように、コロナウイルスとの共存が当たり前の考え方となって定着していくのではないでしょうか。

歴史を振り返ると、各世紀を代表するような感染症が猛威を振るいました。十四世紀のペスト、十六世紀の梅毒《ばいどく》、十七〜十八世紀の天然痘、十九世紀のコレラと結核、二十世紀のインフルエンザなどです。

二十一世紀に入ってからは、〇三年のＳＡＲＳ、一二年のＭＥＲＳ（中東呼吸器症候群）、そして今回と、コロナウイルスの感染流行が相次いでいます。これからもコロナウイルスの感染流行は、断続的に発生するかもしれません。

――「ウィズ・コロナ」を生きるために必要な、視点や心構えは何でしょうか。

生物の頂点に立つ存在として繁栄を謳歌《おうか》してきた人類が今、目に見えない微小なウイルスによって、かつてないほどの混乱に陥《おちい》っています。

このことは、人間も含めて全ての生物が、大きな生態系の循環の中を生きているのであり、特定の種が〝一人勝ち〟することなど、あり得ないのだと教えてくれています。

アメリカの生物学者Ｇ・ハーディンが提唱した、「コモンズ（共有地）の悲劇」という命題があります。誰もが自由に利用できる牧草地（共有地）で、皆が自分の牛をより多く飼おうとし始めると、牧草が枯渇し、全員が共倒れしてしまうという話です。

今、地球という大きな共有地は、この「悲劇」の一歩手前まで来ているのではないでしょうか。私たち人類は、飽くなき知恵と欲望によって、文明を拡張し続けてきました。環境破壊は発展に伴う当然のコストとして考えられ、多くの自然が失われました。

その結果、人類は今、環境問題や気候変動など、深刻な危機に直面しているのです。

感染症も同様に、人類のいき過ぎた開発や森林破壊などに原因があるという意味で、環境問題の一つといえます。

こうした環境問題を根本的に解決するためには、人間の持つ「欲望」と、どう対峙《たいじ》するかを真剣に考える必要があります。とはいえ人間の欲望を完全になくすことは、不可能に近い。一度手にした生活水準を下げ、便利な生活を手放すことも、簡単ではありません。

人間は欲を追い求める生き物であることを認めた上で、時に欲望を制御しながら、持続可能な環境との共生を志向できるかが、今後の課題になります。コロナ禍は、現代文明が方向転換できるかどうかの分岐点といえるでしょう。

かつては共同体や宗教による「規律」が、欲望を抑える役割を果たすとともに、生きとし生けるものを思いやる精神を、育んできました。それらを、人間の自由を縛る因習として軽視してきたところに、現代社会の失敗の一因があります。

生き方の転換が求められている今、そういった存在の価値が見直されていくことを期待しています。

2020年5月13日付掲載

身体的距離は保ちながらも、人とのつながりを切らさない

「緊急事態宣言」の延長を受け、長期化した新型コロナウイルスとの闘い。近藤教授に、社会疫学の観点から、この〝長期戦において必要な視点〟などを語ってもらった。

近藤克則

千葉大学教授

こんどう・かつのり
一九八三年、千葉大学医学部卒業。二〇一四年から千葉大学予防医学センター教授に。一般社団法人日本老年学的評価研究機構で代表理事も務める。国立長寿医療研究センター部長を兼務。主な著書に『健康格差社会への処方箋』『長生きできる町』など。二〇二〇年に日本医師会医学賞受賞。

――新型コロナウイルス対策の長期化に伴い、今後、どのような視点が大切になってきますか。

今月（二〇二〇年五月）四日、政府は「緊急事態宣言」の延長を発表。東京や大阪など一三の特定警戒都道府県には「人との接触の八割減」の継続を呼び掛ける一方で、新規感染者数が限定的になった地域については、社会・経済活動の再開を一部容認しました。

また政府の専門家会議は、ウイルス対策の長期化を見据え、特定警戒都道府県以外の三四県を対象に、外出自粛の緩和を可能としつつ「新しい生活様式」を提示（二〇二〇年五月十三日時点）。人との距離はできるだけ二メートル空ける、マスクの着用、帰宅後の手洗い・顔洗いの実践、また「三密」（密閉、密集、密接）の回避やテレワークの励行などの具体例が示されています。

このことは、新型コロナウイルスとの戦いが新しいフェーズ（局面）に入りつつあることを意味するでしょう。私たちの生活は、長期的に見ると、次々と出てくる変異型を含めウイルスとの〝共存〟を想定したものに変えていく必要があるといえます。

今までは、新型コロナウイルスの感染を防ぐため、とにかく外出を控え、人との交流を極力減らす対策が取られてきました。しかし、長期化・共存化していくこれからは、「どうすればウイルスに感染しないか」という視点は変わらずに持ちつつも「いかに自分の健康を維持するか」という視点を持つことが大切になってきます。

私の専門である社会疫学は、病気を生み出す社会的要因を調べ、どのように予防するかを研究する学問です。その研究から、外出や人との交流が制限された状態が長く続くと、健康に悪影響を及ぼす可能性が高まると分かってきました。なかでも、高齢者は注意が必要です。

実際、私が代表を務める日本老年学的評価研究（ＪＡＧＥＳ）によれば、外出や人との交流が少ない高齢者は、そうでない場合に比べ、うつや認知症、要介護状態になる可能性が高いという結果が出ています。

また、ＷＨＯ（世界保健機関）は、感染防止のために人との間隔を取るという意味の「ソーシャル・ディスタンシング（社会的距離の確保）」という言葉を、「フィジカル・ディスタンシング（身体的距離の確保）」に言い換えるようになりました。ソーシャルには社交などの意味があるため、「他人と疎遠になる」という誤ったイメージを連想させる恐れがあると判断したからです。

ウイルスの感染防止対策が長期化する中で、ストレスや孤独を感じやすくなっている今こそ、身体的距離を保ちながらも、人とつながり、健康を維持することが大切になってくるでしょう。

健康維持のために適度な運動を退屈せずに時間を過ごす工夫を

——私たち一人一人が健康を維持するために、どのような心掛けが大切ですか。

適度な運動や散歩は、気分転換や健康維持のために必要です。

「屋外での運動や散歩なども、ともかく自粛、控えるべき」と誤解している人もいるようですが、政府の発表する「新型コロナウイルス感染症対策の基本的対処方針」では、「屋外での運動や散歩」は「生活や健康の維持のために必要なもの」とされ、外出の自粛要請の対象にはなっていません。「三密」を避けることや、帰宅してからの手洗い・うがいなど、細心の注意を払いつつ、定期的な屋外での運動などを心掛けてほしいと思います。

また、自宅にいながら熱中できるものを見つけることも大切です。意外に思うかもしれませんが、人間は、仕事が多忙なときや緊張を感じるときだけでなく、「暇」や「退屈」に対してもストレスを感じます。やることが何もないことも、健康に良くない影響を与えるのです。

休校が続き、家にいることが多くなったため、精神的に不安定になる子どもが増えているようです。これも、退屈に感じる時間の増加が原因かもしれません。

いずれにしても、退屈せずに時間を過ごす工夫は必要です。もともと趣味などをお持ちの方は大丈夫かもしれませんが、特に持っていない方は、これを機に探してみてください。

――健康を損なうリスクが高い高齢者のために、関わる側が意識すべきことはありますか。

高齢者と一緒に住んでいる場合、家事などの役割を分担することは有効でしょう。

最近では、行政が高齢者に「役割」を提供する事例も出てきました。

千葉県松戸市では、「松戸プロジェクト」と称して、高齢者の健康寿命を延ばすために、さまざまな地域活動を推進しています。あるグループは、ウイルス感染が流行するようになってから、高齢者にマスクを作ってもらい、それを介護施設や保育園などに寄付しているそうです。こうした作業なら、自宅にいてもできるので感染リスクは低く、取り組みを通して、社会とのつながりを実感できます。このような取り組みが、各地で推進されていくことを期待しています。

また近隣の方や、遠方に住む親戚などに〝声掛け〟をすることも大切です。

人との対面交流が難しい状況ではありますが、電話や手紙、メール、ＳＮＳなどを使って交流するだけでも、健康促進に寄与します。ＪＡＧＥＳでは、月に一回でも笑う機会があると、主観的健康感（自身の健康に対する自己評価）が高まるという結果が出ています。

これといった用事がなくても、コミュニケーションを取ってほしいと思います。その中で困っていることや悩みを話すことで気分が晴れる場合もあるでしょう。

交流や助け合いの蓄積が困難乗り越える「鍵」に

――社会疫学では、その人の努力だけでなく、生まれ育った環境や地域、仕事や所得などの社会的環境によって健康状態に差ができることを明らかにしてきました。コロナ禍の長期化は、そうした「健康格差」に、どのような影響を与えるのでしょうか。

現在の日本社会では、低所得の人が増えています。その状況は、健康格差の拡大にもつながっています。感染流行が長期化すると、景気が冷え込み、その格差はさらに広がるでしょう。特に社会的に弱い立場に置かれている人ほど、失業などの経済的なリスクが高まります。その結果、生活の見通しが立たない不安から、うつや自死に追い込まれる人や、健康習慣がさらに悪化することによって健康を損なう人が増えてしまうのではないかと懸念しています。

――近藤教授が編集・著述された『ソーシャル・キャピタルと健康・福祉』の中では、健康格差を是正するために「ソーシャル・キャピタル」（社会関係資本）の役割について言及されています。

社会疫学では、人と人との交流や社会参加、助け合いの規範から得られるものを「ソーシャル・キャピタル」と定義します。人と人とのつながりや結束を社会的資源とする考え方です。健康格差を是正するためには、行政による経済的なサポートも必要ですが、地域におけるソーシャル・キャピタルを豊かにすることも有効です。人とのつながりが多ければ、励まし合ったり、悩みを相談したり、有益な情報を共有する機会も多くなり、その結果、健康の促進につながるからです。

コロナ禍における健康格差の問題は深刻ですが、こうした危機的な事態だからこそ、地域のソーシャル・キャピタルの力が問われてくるのではないでしょうか。

二〇一一年に東日本大震災が起こった際、被災地では「助け合い」の精神が育まれ、ソーシャル・キャピタルが豊かになったといわれています。今回の感染拡大も同様に、私たち一人一人が励まし合い、協力し合うことでソーシャル・キャピタルの力を発揮して、困難を乗り越えることができると思います。日本社会には、その〝ポテンシャル（潜在能力）〟があると信じています。

2020年7月8日付掲載

グローバル時代の感染症に「国際協力」で立ち向かう

いかに人々の健康を守り、維持していくのか――。コロナ禍は、人類の長年の問いを改めて現代に突き付けている。著書『人類と病』を出版した、詫摩教授に聞く。

詫摩佳代

東京都立大学教授

たくま・かよ
東京都立大学法学部教授。専門は国際政治。東京大学法学部卒、同大学院総合文化研究科国際社会科学専攻国際関係論博士課程単位取得退学。博士（学術）。東京大学東洋文化研究所助教、首都大学東京法学政治学研究科准教授などを経て現職。著書に『国際政治のなかの国際保健事業』『新しい地政学』（共著）などがある。

――なぜ、新型コロナウイルスの流行は私たちにとって脅威《きょうい》なのか。近著『人類と病』では、グローバル化時代の感染症の特徴について述べられています。

新しいウイルスの流行は新型コロナに始まったことではなく、近年でも、エボラ出血熱やSARS（重症急性呼吸器症候群）といった新興感染症の流行が頻繁に起きていました。しかし新型コロナには、発展途上国や一部の地域だけではなく、全世界に一律に、被害が広がったという特徴があります。この世界的な感染の原因をたどると、国や地域などを超えて社会や経済が一体化するグローバリゼーションの進展に行き当たります。

もちろん、国境を越える人や物の交流は今までもありましたが、その移動の量とスピードは、近年増しています。そのため、中国・武漢で感染爆発が始まったウイルスが瞬《またた》く間に世界に広がり、グローバル化時代の感染症の脅威を、世界に知らしめました。

感染症の影響は、公衆衛生という一領域にとどまらず、経済、社会、政治といった領域に多面的に及んでいます。ゆえに各国では、保健関係の省庁のトップではなく、アメリカのトランプ大統領、中国の習近平国家主席、そして日本では安倍首相といった国家の首脳が、自ら陣頭指揮に当たっています。

そのため、ウイルスを巡る対応に、国際政治が色濃く反映されていることも、グローバル化時代の感染症の特徴であるといえます。

――感染症への世界規模の対策を主導することは、ＷＨＯ（世界保健機関）が本来の役割とするところですが、ＷＨＯの対応を巡っては今、加盟国の間で意見や対立があります。

感染症の脅威は、グローバル化時代に、その影響力を増しています。それに対応するための枠組みであるＷＨＯは、さまざまな改革を経てはいても、グローバル化時代に完全に適応する形で存在しているわけではありません。

ＷＨＯの主な役割は、専門的知見を結集し、情報提供や勧告を行うことですが、いずれも強制力を持つものではなく、加盟国の自発的な協力なくしては機能し得ません。こうした性格による課題が、今回、露呈《ろてい》したといえます。

また、ＷＨＯは国際機構であるため、自ら資金を拠出することができず、財政面で加盟国に依存せざるを得ない現実があります。そのため、アメリカや中国といった大国の動向に、振り回される局面が出てくるのです。

今後、ＷＨＯなどを中心としたグローバルな感染症対策を進めるためには、各国の自発的な国際協力が不可欠となります。

「特定の国家や個人のため」でなく「全ての人の健康」を共通の価値に

――人類がウイルスに立ち向かうための国際協力体制は、どのように生まれたのでしょうか。

制度としての国際協力の誕生は、十九世紀のヨーロッパにさかのぼります。それまでは感染症の流行のたびにそれぞれの国や地域で独自の対策が講じられてきましたが、十九世紀のコレラ大流行を機に、複数の国々によるルール策定が始まりました。

港にやって来た船をどれだけ隔離するのか。人々をどのように検疫するのか。それらのルールが定められ、一九〇三年、史上初の「国際衛生協定」が成立しました。

この協定が対象としたのは、コレラとペスト、後に加えられた黄熱病の三つでしたが、第一次世界大戦後、より広範囲な感染症対策の仕組みづくりが始まります。同時に、清潔な家に住むことや上下水道の整備など、感染症の流行を起こさせないような環境そのものが人間の健康を守る、という考えが芽生えていきます。

第二次世界大戦の戦乱の中でも、連合国を中心に感染症抑制のための保健協力が続けられました。そして終戦後の四八年に、ＷＨＯが設立されました。

――政治においては対立している国同士が、「保健」という共通項では協力し合ってきたという側面もあります。

昨今の米中対立に見られるように、感染症対策に国家や国際政治が介入することのマイナス面も、もちろんあります。しかし、地球規模で感染症をコントロールし、今後完成するであろうワクチンを公平に分配する点などにおいて、政治の力は必ず必要になります。

冷戦期、アメリカとソ連は、天然痘根絶事業で協力した歴史があります。ここから、私たちが学べることは多くあります。時に諍《いさか》いながらも、両国は、ワクチン開発などで助け合い、天然痘を根絶に導いたのです。

この事業においてＷＨＯは、両国へのこまやかな配慮を切らしませんでした。ソ連が提供したワクチンがＷＨＯの品質テストに合格しなかった時、担当者がすぐにモスクワに説明に飛んだことなどがその一例です。当時、国連安保理を含む国際機関が機能しない中、ＷＨＯは重要な役割を果たしました。

――今後の保健協力において日本が果たしうる役割は。

トランプ大統領がＷＨＯからの脱退を表明し、少なくとも大統領選（二〇二〇年十一月）が終わるまではアメリカの協力は期待できないでしょう。しかし、新型コロナを収束に向かわせるために必要な施策や、発展途上国など対応能力が低い国々で感染拡大を抑えていくことなど、目の前の課題は変わりません。

また、有効なワクチンの開発を急ぐとともに、完成した場合は、それを公平に分配していくという課題もあります。これらは、国際協力なくして達成できないものであり、中長期的にそれを支えるのは、ヨーロッパや日本といったミドルパワーの連帯だと考えます。

日本は、戦後築かれてきた、開かれた国際協力を推進し、民主的な価値を基調とする国際社会を維持していく上で、重要な役割を担うと考えています。

さらに考慮すべきは、新型コロナが収束しても、次なるコロナは必ずやって来るという見通しです。その時代に、いかに備えるか。

感染症が発生した時、国際保健規則にのっとった義務を各国が果たせば、感染症の管理は非常にスムーズになります。しかし、世界の約七割の国は、その履行《りこう》能力が不十分であるといわれており、日本をはじめとする先進国が、自国のリソース（資源）や研究を生かして支援することが大切です。

また日本は、国民皆保険を実現しているまれな国の一つとして、発展途上国で、国民が負担可能な費用で医療を受けられるシステムの構築に尽力してきました。今後もその活動を継続していくことは、より多くの命を助けることにつながるのではないでしょうか。

日本やヨーロッパの国々は、ＷＨＯを中心に協力していく立場を示していますが、その他の例ではパリ協定（地球温暖化対策の国際枠組み）でも、国際協調を支えていく姿勢は一貫しています。

その底流には、食糧や環境、保健といった個々の分野の協力を積み重ねることが、国際協力の基盤であるとの意識があるといえます。自国第一主義などで、リベラルな国際秩序が揺らぎつつあるといわれて久しいからこそ、その基盤である機能的な協力を支えようという価値観が、日本やヨーロッパの国々のリーダーに見られます。

また、ビル&メリンダ・ゲイツ財団やＧａｖｉワクチンアライアンスなど、非国家アクター(行動主体)も大きな影響力と役割を持ち始めています。

こうした中間団体は、国益や個人の政治的選好から離れることが可能です。ゆえに、政治や経済的なインセンティブ(動機)によって生じたゆがみや格差を是正し、より公平な視点から国際協調を促していくことができます。これらの団体の役割を高めることが、活動の幅を広げることにもなります。

一般市民の役割を高め
声を反映する仕組みを

――国家以外の組織や団体を含む、国際保健協力の枠組みを指す「グローバル・ヘルス」は、国益を超えた〝人類益〟を、新たな価値基準として示すものです。

国家を主役とする枠組みの限界は、新型コロナによって明らかになりました。国家を超えて、いかにグローバルな枠組みをつくれるか。ＷＨＯを中心としながら、情報収集などの局面では、非国家アクターも国家と同様に扱うような枠組みづくりが、急務であると思います。

ＷＨＯでは、特定の国家やアクターに依存し過ぎないよう、個人から基金を募る仕組みもできました。資金面で一般市民の役割は高められ、それは発言権が増すことにもつながります。こうした市民の声を反映する体制づくりも、今後は大切になるでしょう。

市民一人一人が、特定の国家や個人のためといった価値観を見直し、全ての人の健康を、国際社会における共通の価値へと高めていくことで、より大きな役割を発揮していくことが求められていると思います。

2020年5月20日付掲載

ウイルスからの「挑戦」には人類の知恵と絆で「応戦」

新型コロナウイルスの正体を知ることが、私たちの身を守るための第一歩——山本教授はそう主張する。現在の研究で分かっていることや、一人一人ができる感染防止対策とは。

山本典生

東海大学医学部教授

やまもと・のりお
一九六九年、千葉県生まれ。医師、医学博士。東京医科歯科大学大学院ウイルス制御学講座助教、国立感染症研究所インフルエンザウイルス研究センター第五室室長、順天堂大学大学院感染制御科学講座准教授などを経て現職（基礎医学系・生体防御学）。

新型コロナウイルスの感染メカニズム

――新型コロナウイルスについて、研究が進む中で分かってきたことを教えてください。

ウイルス感染は、ウイルスが体内の細胞と結合し、自らの遺伝情報（ＲＮＡやＤＮＡ）を複製させていくことで広がります。新型コロナウイルス（ＳＡＲＳ―ＣｏＶ―２）の感染は、まだ謎が多いものの、人間の細胞膜にある「ＡＣＥ２」というタンパク質と結合することから始まると判明しています。私自身、これまでＳＡＲＳ（重症急性呼吸器症候群）の研究をしてきましたが、そのきっかけとなるタンパク質と同じです。

ＡＣＥ２の量は臓器によって違いますが、肺の奥にある細胞で多く発現しています。そこでウイルスが増殖するため、気道の比較的浅いところで増殖するインフルエンザウイルスと比べて、重症肺炎が起きやすいのでしょう。またＡＣＥ２は、心臓や腎臓などの細胞表面にもあることから、感染が多臓器不全にもつながると考えられています。

――これまでも重症化のリスクが高いといわれてきた心不全、呼吸器疾患などの基礎疾患のある方は、やはり注意が必要ですね。

一般的に、高齢者や基礎疾患のある方は、ウイルスに対する炎症反応が起こりやすいことが分かっていますが、新型コロナウイルスの感染メカニズムから考えても、こうした方々を感染から守らなければなりません。またＡＣＥ２は血圧を調節する役割を担うタンパク質なので、感染による血圧の乱れが人体に悪影響を及ぼしてしまう高血圧の方も注意が必要です。

ＡＣＥ２は最近、舌の細胞にも発現しているとの報告がありました。そうしたことが背景で「何を食べても味がしない」という味覚障害につながっている可能性も指摘されています。

既存の薬の転用で人命を守る

――世界で今、研究者がウイルスの解明に当たりながらワクチンや新薬を開発しています。実用化の見通しを教えてください。

ワクチンは急ピッチで開発が進んでいます。安全性や有効性を調べるため、通常は実用化までに数年を要しますが、一年半程度で実用化されるものも出てくると思います。ワクチンは体の免疫系に働き掛け、体内でウイルスへの抗体（抵抗力）をつくらせるものですが、今回のウイルスは、その抗体が、かえって症状を悪化させる可能性も指摘されています。開発されたワクチンの安全性などは、慎重に見る必要があります。

また治療薬の研究も精力的に行われています。新薬をゼロから開発するには、一般的に一〇年以上かかるともいわれますが、一〇年後に特効薬が開発されても、目の前で起きている感染症の治療には使えません。そこで、別の病気に対して既に開発された薬を、今回の治療に転用するという研究が進められています。現時点で治療薬候補として挙げられている薬剤は、ほとんどがこの枠に入るものです。

――「アビガン」や「レムデシビル」など、有効といわれる薬が次々と出てきていますね。

薬には、さまざまな形でウイルスの動きを制限する働きがあります。「ファビピラビル（アビガン）」と「レムデシビル」は、どちらもウイルスのＲＮＡ複製を抑える薬です。アビガンは抗インフルエンザウイルス薬、レムデシビルは抗エボラウイルス薬として開発されましたが、作用メカニズムとしては、これらのウイルスに限定されないと考えられます。そのため、今回のウイルスへの転用が早くから検討されました。

私たちの研究グループでは、エイズの薬として既に実用化されている「ネルフィナビル」が、今回のウイルスの増殖を抑制することを見いだしました。このほか、喘息《ぜんそく》薬の「シクレソニド（オルベスコ）」、抗寄生虫薬の「クロロキン」や「イベルメクチン」、リウマチの治療薬「トシリズマブ（アクテムラ）」なども有効と期待されています。

現状、どの薬が最もよいかという結論は出ていませんが、例えばアビガンは副作用の面で妊娠中の方には使用できないなど、特定の薬だけでは対応できない方も出てきてしまいます。また将来、そうした薬に耐性を持つウイルスが現れる恐れもあることから、薬の選択肢を増やすことが、多くの人の命を守ることにつながると考えます。

「石けん・アルコールに弱い」「自己増殖できない」

——〝目に見えない敵〟ということもあって、不安を感じている人もいます。

ウイルスは、電子顕微鏡を通さなければ見えない大きさです。まさに目には見えない敵ですが、人類にはウイルスからの「挑戦」に対し、巧みな技術と知恵で「応戦」してきた蓄積があります。その中で、これまで不治《ふじ》の病と恐れられたエイズも、今では効果的な薬が見つかりました。今回も、絶対に希望はあると考えています。

また新型コロナウイルスは、未知の部分が多いものの、分かっていることはあり、全く弱点がないわけではありません。ウイルスの正体を知り、その弱点を踏まえて行動すれば、一人一人も身を守る「応戦」ができると思います。

——ウイルスの挑戦に応戦する中で、人類は希望を見いだしてきたのですね。今回のウイルスの弱点と、

私たちにできる応戦の方法を教えてください。

一つは、新型コロナウイルスの膜（エンベロープ）は、石けんやアルコールに弱いことが分かっています。ですので、小まめに石けんを使って手洗いしたり、アルコール消毒したりすることで、感染リスクを減らすことができます。

またウイルスは体内の細胞と結合しない限り、自己増殖できないことも弱点の一つでしょう。それを防ぐためにも、接触感染と飛沫感染への注意が大切です。

接触感染は、ウイルスが付着した手で自分の口や鼻を触ったり、その手で食べ物などを食べたりすることで起こります。飛沫感染は、くしゃみや咳でまかれたウイルスを含む飛沫を、自分の体内に取り込んでしまうことで起こります。

こうしたウイルスの弱点や感染の特徴を踏まえた上で、むやみに自分の顔を触らないよう心掛けたり、密集、密接、密閉という「三密」を避けたりすることが重要です。また、マスクは〝ウイルスがマスクの繊維を通過してしまうので効果がない〟と言う人もいますが、手に付いたウイルスが口に入ることを防ぐ効果があることから、感染予防にも有効と考えます。

――ウイルスの正体を知ると、どこに気を付けるべきかが明確になります。

人との間隔を空ける、対面ではなく横並びで食事をするなど、政府の専門家会議が提言する「新しい生活様式」も、こうしたウイルスの弱点を踏まえて行動することを意味します。大事なことは、正しい知識をもとに、何が感染につながるのかを一人一人が考えて生活することです。

また感染症には、人と人の接触を避けなければならない面があることから、地域や社会を分断してしまう側面があります。その点、現代は電話やメールなどで周囲の人々と連絡を取り合うことができ、その中で正しい知識を共有したり、不安に思う人々を支えたりすることもできます。そうした励ましの絆も、立派な感染症への「応戦」につながるのではないでしょうか。

今後も、新たなウイルスのパンデミック（世界的大流行）が起こらないとも限りません。私は、そうした時代が来たとしても、人類が乗り越えていける「応戦」の土台を今、創価学会の皆さんと手を携《たずさ》え、築いていきたいと思っています。

2020年6月17日付掲載

逆境に立ち向かう力は地域コミュニティーに

新型コロナウイルスの感染は、アフリカ大陸でも広がる。アフリカで医療支援をした経験のある佐々木教授が、アフリカの現状や、日本の医療現場で奮闘する看護師の様子を語った。

佐々木諭

創価大学看護学部教授

ささき・さとし　医学博士。新潟大学大学院医歯学総合研究科助教、創価大学学士課程教育機構准教授などを経て現職。国際医療NGO「AMDA」の職員として、ルワンダなどでの難民支援の医療系業務に従事。国際協力機構（JICA）の専門家としてザンビアの貧困地域で子どもたちの健康改善に取り組んだ経験も持つ。創価大学ではグローバル・シティズンシップ・プログラム（GCP）ディレクターも兼任。

アフリカ大陸で広がる新型コロナウイルス

――WHO（世界保健機関）は、アフリカで封じ込めに失敗すれば〝一年間で最大四四〇〇万人が感染し、一九万人の死者が出る恐れがある〟と警鐘を鳴らしています。

アフリカで最初に感染が確認されたのはエジプトで、（二〇二〇年）二月十四日でした。アフリカ疾病予防管理センターの発表などを見る限り、ヨーロッパなどの国々と比較すると流行のスピードは抑えられており、その要因として、専門家と各国が連携し、事前に抑制の準備に取り組んできたことが指摘されています。

ただ、国によって状況は異なるものの、五月に入ってからは徐々に流行し始めています。アフリカの国々は、人工呼吸器などの医療機器や治療に当たる専門職の人々も不足しており、集中治療室の割合も低く、重症患者に適切な処置が行えません。都市部には貧困層の人々が暮らす未計画居住区があり、そこでは狭い家屋に大人数で生活していたり、「感染予防では手洗いが大事」といっても、安全な水にアクセスできない人もいます。こうした環境下では、すぐに感染爆発が起こることは想像に難くありません。先進国に比べ、警戒が必要です。

――感染者が少ない理由として、検査体制が不十分であることを指摘する専門家もいます。

アフリカの人口の六割は、二十五歳未満の若年層です。こうした人々は免疫力も高いことから、感染を抑えられているのではないかと考えられています。しかし、ご指摘の通り、アフリカの国々では一日の人口一〇〇〇人当たりの検査数が低く、ある研究では、新型コロナ患者の多くが合併症を併発しており、新型コロナの感染が見落とされているとの報告もあり、実際の感染者はもっと多いことも考えられます。

ただアフリカには、エイズやマラリア、エボラ出血熱など、さまざまな感染症と闘ってきたノウハウが蓄積されています。

医療資源が限られている分、特にアフリカでは「地域の支え合い」で感染症に立ち向かってきました。その要《かなめ》が、各家庭に感染予防や健康改善に関する教育を行う「コミュニティー・ヘルス・ワーカー」と呼ばれるボランティアの存在です。こうした人々が行政や医療関係者らの指示のもと、感染しないための策を講じた上で、各家庭に正しい予防法を指導するのです。ボランティアの強みは〝実際にその地域に住む人〟ということです。地域のことをよく知り、地域の人々との信頼もあります。もちろん人との接触は感染のリスクを伴います。しかし、一人一人に丁寧に伝える分、皆が正確な情報をもとに判断でき、何より納得して行動できます。そこでは、さまざまな情報があふれ、何を信用していいのかといったことは起こりません。

【感染症を防ぐ三つの方策】

①治療薬開発で「感染源」を除去
②皆の協力で「感染経路」を遮断《しゃだん》→手洗い・マスク、身体的距離の確保
③免疫力強化で「感受性」を低める→睡眠・食事・運動、笑顔ある生活

――感染対策において、私たちは何を基準に考えていけばいいのでしょうか。

そもそも感染症は、「感染源」「感染経路」「感受性宿主」という要因がそろうことで広がります。病原体という「感染源」が存在し、感染が広がる「経路」があり、その病原体を「感受」、つまり〝受け入れる生物がいる〟ということです。一方、どれか一つでもブロックできれば感染症

は広がらないことが分かっています。それを踏まえて考えれば、①感染源を除去する治療薬の開発、②感染経路を断つための一人一人の行動変容、③健康的な生活の心掛けや予防接種を受けることで免疫力を高めること――この三つが大切なのです。

一つ目の治療薬は世界の研究者らが行っているので、私たちができることは、二つ目と三つ目になります。手洗いの励行やマスクの着用、身体的距離を取るといった行動は、病原体の体内への侵入を防ぐもので、感染経路への対策。三つ目の免疫力の強化には、ワクチンの接種も含まれますが、十分な睡眠や栄養バランスの取れた食事、そして適度な運動を心掛けることでも高めることができます。

――やはり「正しく知る」ことは大切ですね。

私はザンビアでコレラの大流行の制御対策をしましたが、その際に特に力を入れたのは、行動変容を中心とした感染経路の遮断でした。コレラは、口から細菌が入ることで感染します。ですので、先ほどのボランティアグループの人々に感染予防や家屋の消毒などの講習を行い、水質調査をもとに「ここの水は飲んではいけない」とか「石けんによる手洗いが大切ですよ」などの情報を伝えました。

その中で罹《り》患《かん》率を下げることができたことからも、感染症対策において、地域コミュニティーの存在と、その人々が伝える正しい情報がいかに大切かを感じました。

最前線で命を守る医療従事者にエールを

――日本赤十字社は、不確かな情報に振り回され、感染症への恐怖が増してしまうと、感染者や医療関係者への差別につながっていくと警告しています。


創価大学看護学部の一期生が卒業したのは、二〇一七年のこと。以来、四年にわたって卒業生を送り出してきました。卒業生たちも今、医療現場の最前線で奮闘していますが、人とすれ違う際にあからさまな態度で避けられたことなど、差別が起きていたことは聞きました。

医療従事者は、自分が感染してしまうかもしれないリスクと不安の中にいますが、それでも目の前の命を救うために全力を尽くしています。こうした医療従事者を守ることが、新型コロナウイルスに打ち勝つ道であると確信します。

創価大学看護学部の学生が、
研修でザンビアの医療施設を見学(本人提供)

――未知のウイルスということもあり、治療や看護の仕方も試行錯誤の連続だと思います。

患者を勇気づけられるよう、真心と誠実で一人一人に寄り添ってきた看護師も、今回のウイルスが蔓延してからは、さまざまな制約の中で看護に当たっているようです。

病室に入る時間も制約があり、患者と接する時間も当然、短くなります。またマスクやゴーグルなどを着けた状態では、笑顔といった自分の表情で相手の不安を取り除いてあげることもできません。だからこそ、「声」が大事だと、今まで以上に一言一言に思いを込めていると聞きました。

加えて、家族も患者と会えない状況があります。そうした家族へのケアのために、まずは家族と信頼関係を深め、電話で小まめに患者の状況を伝えたり、SNSを活用して患者と家族が話せるように工夫したりしているそうです。

――航空自衛隊のブルーインパルスが五月末、医療従事者への感謝を示すために都心上空を飛行するなど、さまざまなエールが送られています。

そうしたエールは、間違いなく医療従事者を勇気づけています。患者や家族からの「ありがとう」との言葉や、地域の方々の「頑張ってね」「応援しているよ」といった声が力になり、「負けずに頑張ろう」と思えると感謝していました。

また創大看護学部の卒業生にとって、学部開設時に創立者・池田先生から贈られた三つの指針が心の支えとなっていることを改めて感じました。

「生命の尊厳を探究する生涯学びの看護」「生きる力を引き出す励ましの心光る看護」「共に勝利の人生を開く智慧と慈悲の看護」との指針を在学中から何度も自らに問い掛けてきた卒業生は、それぞれの医療現場にあって、どうすることが患者の生きる力を引き出し、患者と共に勝利の人生を開くことになるのかと日々模索し、そして、共に探究してきた仲間たちと連携を取り合い、励まし合いながら奮闘しています。

逆境に立ち向かう力は励ましの絆の中に

——励ましの絆《きずな》を広げていくことは、人類が感染症に立ち向かっていく上でも重要ではないでしょうか。

社会に不安が漂う中、励ましは人々に生きる力を与えます。「笑い」が免疫力を高めることは知られていますが、励ましで〝人々を笑顔にしていくこと〟も、感染症の予防に貢献することでしょう。

また、感染症対策で必要なのは「自分が感染しない」「人に感染させない」との思いを持ち、皆で感染を抑え込もうという協力体制です。その意味では、人々の絆が鍵を握ると思います。

例えば、正しい情報といっても、人によって置かれた状況も納得の度合いも違います。だからこそ、一人一人に応じて話す人も必要ですし、誰一人孤立することがないよう、地域の人々を見守る存在も重要でしょう。

新型コロナウイルスの流行によって、人と人の物理的距離を保つことが求められますが、その中でも電話などを使って社会的なつながりを強めることは可能です。支え励まし合う絆は、危機の時代にあって、ますます求められていくと感じます。

2020年8月29・30日付掲載

正しい情報見極め「正しく恐れる」

感染症対策の最前線に立ち続けてきた専門家は、コロナ禍をどう見ているのか——。政府の感染症対策分科会の一員として走り続ける、岡部所長にインタビューした。

岡部信彦

川崎市健康安全研究所所長

おかべ・のぶひこ
東京慈恵会医科大学卒業。医学博士。専門は小児科学、感染症学、ワクチン学。米国テネシー州バンダービルト大学小児科感染症研究室研究員、WHO（世界保健機関）西太平洋地域事務局伝染性疾患予防対策課長、慈恵医大小児科助教授、国立感染症研究所感染症情報センター長などを経て現職。

――メディアでは連日、各地の新型コロナウイルス感染症（COVID-19）の感染者数を報じており、その増減に一喜一憂する人もいます。

この感染症が一般にも知られてきたのは、本年（二〇二〇年）の二月から三月くらいのことです。その時は〝未知のウイルス〟でしたが、この半年で多くのことが分かってきました。最近の感染者数だけで見れば、緊急事態宣言を出した時を上回った地域もありますが、それを気にする方の多くは二、三月くらいの分からない状況のままで、数字が増えていると感じているのではないでしょうか。もちろん、数が増えるのは好ましくありませんが、この間、疫学情報や検査体制の拡充、診断方法の精度の向上、集団感染の調査、診療の経験とノウハウなどが積み重ねられていますし、無症状感染者をはじめ、これまで分からなかった人の感染も把握できるようになりました。そうした数も含まれていることに目を向けないと、「正しく恐れる」の「正しく」が抜け、いつまでも「恐れる」ということになってしまうと思います。

また今、数として報じられているのは、その日の検査で感染が分かった人数です。集団感染が疑われる人を大勢検査すると数も増えますが、これは、あくまで検査した日であり、〝その日に感染者が急増、あるいは減少した〟ことを指すわけではありません。感染者の増減を正しく理解するには、感染者がいつ発症したのかを見る必要がありますが、この発症日ごとで見ると、日本での七～八月の増え方は、いわば高止まりのような状況で、一部では微減傾向になっていることも分かります。

――ほかに分かってきたことは、何でしょうか。

世界的にも十代以下の子どもたちの感染者数は明らかに少なく、高齢になるほど重症化率、致死率が高くなることから、この感染症は目下《もっか》、〝大人の病気〟と言えます。また高齢者でも糖尿病や腎臓病などの基礎疾患のある方が重症化しやすい一方、発症者の約八割の方は軽症で済むことや〝発症した人の約八割は他人に感染させていない〟ということも分かっています。

「三密」回避やマスク着用などの基本が命

――どういう状況で広がっているのでしょうか。

最近は会食や職場、家族など、さまざまな状況が挙げられていますが、共通した条件としては、換気の悪い密閉空間に多くの人が密集し、密接して大きな声で会話したり、歌を歌ったりすることで感染が広がっています。ここから「三密」という言葉が生まれましたが、この「三密」が回避されない時に感染が広がっています。また、そのような状況下で手洗いやマスク着用などの対策が行われないと、感染リスクが高まることも分かっています。

――やはり、「三密」の回避や手洗いといった基本が大事ですね。

そうです。私は毎年、インフルエンザの流行時期には〝人混みに出る時は注意し〟〝くしゃみや咳が出る時はマスクを着け〟〝帰宅したら手を洗いましょう〟と呼び掛けています。「三密」という言葉自体は今回の対策で出たものですが、感染症対策の基本は変わっていません。ただ取り巻く環境は、時代とともに変化してきていると感じます。

――どんな変化があったのでしょうか。

特に大きいのが、人の動きと情報量の変化です。

新型インフルエンザが流行した二〇〇九年頃、海外からの訪日客は年間で一〇〇〇万人を下回っていましたが、新型コロナウイルスが流行する前には三〇〇〇万人を超えていました。

情報量については、ＳＡＲＳ（重症急性呼吸器症候群）が問題となった〇三年に比べ、〇九年の新型インフルエンザの時には、多くの人がインターネットで情報を得るようになり、メールで情報交換することが普及してきました。そこから一〇年以上が経過し、今では多くの人がＳＮＳで既成メディア以外の情報を目にし、自らも広く情報発信できるようになりました。そこで個人の見解を述べることは自由ですが、それが全て正しい情報とは限らないので、一人一人には、どれが正しい情報かを見極める力が求められています。

また、そうした力はマスコミの側には一層、求められています。出回っている情報の中で何が真実かを見極め、専門家の意見などを踏まえて報道していくことが大切です。


——報道の中には、ＰＣＲ検査について、〝やみくもに行うことを是〟とするものもあると感じます。

ＰＣＲ検査は私の研究所でも毎日行っていますが、今日やって陰性だとすると、それは「今は陰性です」ということしか言えず、明日やると陽性となるかもしれない。また、もし検査で陰性となった人が〝感染していないから〟と油断した行動を取ってしまえば、逆に感染を広げるリスクがある。「それなら毎日やればいい」と言う人がいるかもしれませんが、そうなっては、きりがありません。

ＰＣＲ検査はウイルスそのものではなく、ウイルスの遺伝子の一部があるかどうかを調べるものですが、たとえ壊れたウイルスのかけらが少し体内にあるだけでも陽性になります。壊れていれば感染力はありませんが、それでも陽性になるのです。だから、やみくもに検査してしまうと、既に他人に感染させる心配のない人が陽性として隔離されてしまったり、不当な差別を受けてしまったりするなど、誤った行為につながる可能性もあるのです。

そもそも日本の検査の精度は高く、数個のウイルス遺伝子があるだけで陽性になります。数百という遺伝子がないと感知できないものを使用する国もあります。そうした精度の違いを見ずに、日本も海外と同様に大々的な検査を行政が担うとすると、技術的にも費用的にも、効率性からも無理があると思うのです。

――そもそも、何のために検査するのでしょうか。

感染を疑われる人が〝陽性か陰性か〟を速《すみ》やかに判断し、医療現場が適切な処置を行うためにあります。その検査を北から南まで統一した方法で実施することによって、正確な統計が出せるのです。それが臨床現場と行政の行う検査です。

その上で、数をこなさないといけない場面があることも承知しています。一方、現在はＰＣＲ検査よりも簡易な診断法も出てきています。例えばＰＣＲ検査よりも感度はやや落ちますが、ＰＣＲ検査と同様、〝今、感染しているか〟を三〇分程度で診断できる抗原検査というものがあります。インフルエンザの迅速診断キットと似たようなもので、ウイルスの量が少ないと陰性になりますが、ウイルス量が少ないということは他人にうつしにくいということなので、使い方次第では役に立つと思っています。

また感染後に体内でつくられる抗体（ウイルスへの抵抗力）を検査する方法もありますが、これで分かるのは「以前にそのウイルスに感染したことがあるか」ということだけで、たとえ抗体があっても再感染の危険がないかはまだ十分に分かっていないため、現状では個々人の感染の診断に用いる検査ではないと思います。ともあれ、全てをＰＣＲ検査で行うのではなく、目的に応じて使い分け、上手に組み合わせることが大切だと考えます。

必要な医療を全ての人に——
この体制確保が重要

——前回の緊急事態宣言（二〇二〇年四・五月）は、医療崩壊を防ぐために行われたものでした。その方針に変わりはないのでしょうか。

変わっていません。私はもともと、緊急事態宣言という激しい方法を全国一律に取る必要はないと言っていましたが、やらないといけないと感じたのは、医療機関の方々から「あと数日で患者さんを断らないといけないかもしれない」との声が上がってきたことでした。ここがパンクしてしまったら、新型コロナウイルスの患者だけでなく、他の病気で苦しむ患者も診られなくなってしまうと思い、賛成しました。

分科会でも今、再度の緊急事態宣言ということは常に頭の中に置いていますがホテルなどでも受け入れが進んでおり、医療崩壊を防ぐことができています。ですので、今すぐやることはないと感じています。ともあれ、全ての人に対し、万が一、重症化したとしても、必要な医療を届けることができる体制を守り続けることが重要だと考えます。

――WHO（世界保健機関）は、新型コロナウイルスと長期間にわたって共存する覚悟が必要であるとの見方を示しました。そうした中、岡部所長は分科会のメンバーとなりましたが、今、感じていることを教えてください。

どう感染症を防ぐのかといった医学的な議論を中心に進めてきた専門家会議は、自主的に何度も勉強会を重ねる中で、いろいろなことを遠慮なく言い合える良いチームになっていきました。分科会では、経済や社会学、リスクコミュニケーションの分野といった専門家も交え、今後の社会のあり方を議論していくことになりますが、専門家会議の時よりも、バランス力が問われると思っています。

教育とのバランスで言えば、マスク着用などの感染対策を取ることを前提として、〝子どもたちの人間性を育む機会をいかに守っていくのか〟などを考えていかないといけません。

分科会の一人として、そうした議論を一つ一つ、丁寧に重ねながら、建設的なものになるように努力したいと思っています。

感染症は必ず克服できる！
希望信じて共々に

――これまで新型コロナウイルスの感染経路では、感染者の飛沫からうつる「飛沫感染」が主な原因とされてきました。

その通り、咳やくしゃみ、会話の時に吐き出す飛沫に含まれたウイルスを、他の人が取り込んでしまう「飛沫感染」が主な感染経路です。飛沫は細かい水滴で重さもあり、すぐに地面に落ちるので、人と人の距離を一メートル以上（余裕を持って二メートル以上）に保つことで、感染を防ぐことができます。

人との距離が近い場合にはマスクの着用が有効で、マスクが飛沫の拡散を防ぐので、感染リスクを減らすことができます。これは感染者がマスクをすることで他の人にうつさないことが主な目的ですが、実際には誰が感染しているか分からないので、近寄る際は〝互いのためにマスクを〟ということになるのです。

　また、この飛沫に関し、例えば感染者がくしゃみを押さえた手で物を触り、それを他の人が触ってうつることがあります。「接触感染」と呼ばれますが、そうならないためにも、不特定多数が触るような物を触った場合は、その手で顔を触らないことや、小まめに手洗いやアルコール消毒を心掛けることも必要です。

――国立感染症研究所は濃厚接触者の定義を、マスク着用などの必要な予防策なしに「手で触れることのできる距離（目安一メートル）で、一五分以上の接触があった」場合としています。この一メートルが人との距離の目安ということでしょうか。また互いにマスクをしていれば、道端で会話したり、満員電車に乗ったりしても、感染リスクは抑えられると考えてよろしいでしょうか。

　距離を保てれば、感染リスクはかなり防げます。ただ一メートルといっても、常に距離を測ることは難しい。向かい合う人が互いに腕を伸ばして触れない距離を保つと、その間隔は、ほぼ一メートル以上になります。ですので分かりやすいように「手で触れることのできる距離」という表現になりました。こうした人と人の距離の近い場面で、かつマスクなどの予防策を取っていない際に、感染リスクが高いと言えます。だからといって人とすれ違うだけの瞬間的なことでうつるかというと、そうではありません。互いにマスクをしていれば、会話程度でうつるリスクは著しく低下します。

満員電車については、一メートルの距離の確保が難しいという状況があるかもしれませんが、公共交通機関では今、エアコンをガンガン付け、一部の窓を開けて空気を入れ替えながら走っています。あの状態なら風も常に流れるし、ウイルスもすっ飛んでしまうはずです。混んでいるところでゴホゴホと咳をする人がいたら、限界があるかもしれませんが、基本的には体調の悪い方は休むという流れが浸透してきていますし、日本の場合は乗っている人が大声でしゃべるということも少ないし、あまり心配することはないと思います。

——科学者の間で最近、飛沫の水分が蒸発した小さな粒子を吸い込むことでうつる〝空気感染〟の可能性が指摘されています。これが本当であれば、飛沫よりも長い時間、空気中を浮遊することができるので、これまでの感染対策では足りないことになります。

空気感染が全く否定できるわけではありませんが、もし新型コロナウイルスが結核やはしか、ペストのような空気感染を起こす病気なら、今のような感染者数に収まるはずがなく、もっと拡大しているはずです。空気感染するとしても、その場合の感染レベルは飛沫に比べて低く、実際に感染が起きている場面も極めて少ないと考えます。そもそも医学や科学というのは、全体と同時に裾野にある細かい事象、例外的なことも必ず追い掛けます。それが科学的探究です。その裾野を見れば、飛沫感染、接触感染もあり、空気感染もあるということになりますが、これは科学的にあり得ることを言っているだけで、それがメジャーかというとそうではありません。

これまで日本での感染対策がかなりの効果を発揮してきたことを踏まえると、やはり主な原因は飛沫感染であると言えるでしょう。

――空気感染も踏まえると、密閉対策としての「換気」が重要と思います。この換気について、基本的な考えはあるのでしょうか。

建物によって状況は変わるので、明確な基準と言われると難しい面がありますが、大事なのは、それぞれの環境で、どうすれば空気が同じ場所にとどまらず、空気中に飛び出たウイルス濃度を薄められ、希釈してちりぢりにさせられるかを考えることでしょう。理想を言えば、窓を開けっ放しにしておくことが一番でしょうが、この猛暑では、エアコンも使わないと熱中症のリスクを高めてしまいます。また〝一時間に何回、窓を開けましょう〟といっても、そもそも窓のない場所だってあります。扇風機やエアコンを回して空気の流れを良くするとか、ここの扉は開けておこうとか、それぞれができる範囲で感染リスクを低くする工夫をしていくことが大切です。

——置かれた状況が違うからこそ、一人一人の応用力が求められていますね。

日本人はまじめで、マスク着用などの基本を大勢の方がしっかりやってくださったから、日本は海外に比べて感染を抑えられているのだと思います。その一方、具体的に伝える難しさも感じます。例えば〝レジでの支払いは電子決済で〟など、専門家会議が提言した「新しい生活様式」も、あくまで「こういうことをやってみたらいかがですか」という例で示したつもりでしたが、これをすべきであり、しかも全部守らないと感染してしまうと受け取られてしまうこともある。

私はもともと小児科医ですが、子どもは「あれもダメ、これもダメ」と言うと委縮《いしゅく》してしまって、伸び伸びとは育ちません。それは大人も同じで、窮屈《きゅうくつ》になってしまいます。もちろん感染への一定の注意は必要ですが、一人一人が「こういうことならできる」「ここまではできる」という応用力を働かせていくことが重要だと感じます。

――高齢者や基礎疾患のある方々の中には、感染を恐れて家に閉じこもる人もいます。運動不足などにつながり、かえって死亡リスクを高めてしまうのではないかと懸念されます。

家に閉じこもってしまうと、運動不足だけでなく、うつうつした状態になり、食事が偏《かたよ》ってしまうリスクもあります。それで退屈になってテレビを見ても、入ってくる情報は新型コロナウイルスの話ばかり。これは、健全ではありません。

今、川崎市では〝人があまりいない場所に行ったらマスクを外し、良い空気をいっぱい吸ってください〟と呼び掛けています。それこそマスクを着け、友人たちと二、三人くらいで公園に行って話すくらいなら、うつる可能性も少ないですし、互いの顔を見れば元気になります。でも、いくら元気になるからといって、皆で〝昼カラオケ〟に行けば、密閉した空間で飛沫も飛ぶので危ないわけです。

外出のリスクもありますが、人間は握手をしたり、肩を組んだり、人との触れ合いの中で生きていくのが自然な姿です。人との距離を保つことが重要といっても、心身の健康に良いことばかりではないということも考慮していくべきです。

心と心の絆を強める地域ネットワークを

――人と人の絆を強めるために、地域ネットワークが重要だと考えます。創価学会では、このコロナ禍の中でも、一人一人が地域の絆を強めるためにメールや電話などで励ましを送ってきました。また学会青年部も今、「ｓａｖｅｌｉｆｅ（命を守る）プロジェクト」という取り組みを進め、ＳＮＳを活用して感染対策に関する情報を発信しています。

感染状況は地域によって違うので、全国一律で対策を取るといっても難しいものがあります。それぞれの場所に応じた対策を取るためにも、地域ネットワークの存在というのは、ますます大切になると考えます。

私は特定の宗教団体に入っているわけではありませんが、きちんとしたコミュニケーションのネットワークを持っているということは、どこにあっても強いと思います。
また、専門家会議で話題に上ったのは、〝私たちの声が若者に届いていない〟ということでした。それで有志の会としてホームページを立ち上げたのですが、あの時は若者たちに頼んで作成してもらいました。私たち〝年寄り〟の言葉では届かないところに、若者たちが彼らの感性で情報発信しているというのは、ものすごく大事なことであり、ありがたいことです。

――最後に、読者にメッセージをお願いします。

現在は「新しい生活様式」と言われており、これが一生続くのかと不安に感じる方もいるかもしれません。流行が収まらない現段階では、人との距離を保たなければいけない状況ですが、私は、やがてこの距離は縮めていくようにするのがいいと思っています。人間は触れ合い、直接話をし、そして互いの絆を育んでいくものだからです。
もちろん我慢し、耐えなければならない時もありますが、少しでも多くの人に感染症を防ぐ正しい知識が広がれば、この感染症は必ず乗り切ることができると思います。一日も早く平穏な日常を取り戻せるよう、希望を信じて共々に頑張っていきましょう。

刻一刻と変化するコロナ禍の中で、私たちは何を心掛けるべきか。前回のインタビューから約半年を経て、再び岡部所長に聞いた。

三密回避・マスク着用・手指衛生
基本に徹すれば感染リスクは低い

――一都三県で延長されていた緊急事態宣言（二〇二一年一～三月）が、三月二十一日をもって解除されました。

一月から二カ月に及んだ緊急事態宣言を、さらに二週間延長することには、さまざまな声が上がりました。もちろん、きちんと行われた場合には、期間が長いほど効果も出やすいのですが、その分、個人はもちろん、社会や経済への負荷も大きくなります。そうしたバランスの中で、二週間という判断がなされたと理解しています。

感染者数は発表されたその日ではなく、一、二週間さかのぼった時点での感染データです。すると二週間というのは感染状況を評価する最小の単位だと言えますし、延長の結果が目に見えて現れるのはこれからです。

その上で、大事なことは、緊急事態宣言が明けたからといって、何事も全てが元通りに戻るわけではないということです。「三密の回避」「マスクの着用」といった対策を取りながら、感染の連鎖を解消していくのがこれからの挑戦です。目新しいことではありませんが、この基本の丁寧な積み重ねが大切です。

――岡部所長ご自身は、宣言の延長や解除について、どのように考えられたのでしょうか。

まず、コロナ患者を診療する医療機関の逼迫《ひっぱく》する程度が少し和らいできたという今の状況が、安定するかどうかを見る必要があります。また、年度末は職場異動などもあって人の動きも激しくなりますし、春休みもあります。それで感染者数のリバウンド（再拡大）が早まってしまえば、卒業式や入学式に引っかかってしまうのではないかという懸念がありました。

昨年（二〇二〇年）の緊急事態宣言は、ちょうど入学式シーズンに発令され、子どもたちにさみしい思いをさせてしまいましたが、今回は可能な限り、安心した環境で入学式をしてほしいという思いがありました。

また、四月からは高齢者へのワクチン接種が予定されています。接種には保健所や医師会、医療従事者が深く関わりますが、感染者が増加している状態では、感染者や重症者への対応とワクチン接種の両方に携わることは負担も大きく、両者ともスムーズに動かなくなる恐れがあります。そうした要素も含め、少しでも感染を抑えたい思いがありました。

――変異株の感染拡大が話題になっています。「三密の回避」「マスクの着用」といった従来の対策で防ぐことはできるのでしょうか。

変異株の動きを知ることは、極めて重要です。しかし変異株であろうがなかろうが、一般の方にとっての感染対策に特別な違いはありません。基本は「三密の回避」「マスクの着用」、そして手指衛生です。そこをしっかり守れば、例えば入学式に、健康な人が集まって静かに参加する分には、感染のリスクは極めて低いと考えます。

しかし、式典前後に保護者同士で会食したり、異動の前後に宴会を開いたりすると、感染リスクが高まってしまうのです。そういったリスクは避けた上で、入学式などの行事そのものはなんとか開催させてあげたいというのが、私の思いです。

――大人数での飲食は、分科会がまとめた感染リスクが高まる五つの場面でも指摘されていますね。この中の「飲酒を伴う懇親会等」「大人数や長時間におよぶ飲食」「マスクなしでの会話」が、特に注意すべき点であるように思います。

〈感染リスクが高まる五つの場面＝①飲酒を伴う懇親会等、②大人数や長時間におよぶ飲食、③マスクなしでの会話、④狭い空間での共同生活、⑤居場所の切り替わり（更衣室や休憩時間）〉

この五つの場面は、これまでの調査で明らかになったものです。食中毒などとは異なり飲食そのものが悪いわけではありませんが、人と会う際には「飲酒や飲食」によって「大声」「マスクなし」で「密になる」ことへの注意が必要です。こうした機会をなるべく避け、機会を減らすことで、感染リスクは確実に下がります。その意味では、ここが目下のところ特に注意すべき点ということになります。

コンピューターでのシミュレーション結果からは、大声を出すと飛沫に加えて、マイクロ飛沫といわれるような、さらに細かい粒子が飛び出すことが分かってきています。お酒は気持ちも高揚して大声になりやすいのでご注意を、ということになります。もちろん、全ての飛沫にウイルスが含まれているわけではありませんが、大人数になれば、そこに感染者がいる可能性が高まり、マスクを外しての飲食が長時間に及べば、感染リスクも高まります。

これらの注意点をしっかりと守れば、人と会うことは問題ありません。たとえ知らない人同士でも、お互いにマスクをすれば飛沫感染をかなり防げます。

その上で、大切なのは、互いの気配りです。「マスクなし」に注意するといっても、マスクをしない人への風当たりが強くなれば、感覚過敏などで着用できない人が肩身の狭い思いをしてしまいます。

――そうした場面にある感染リスクへの対策を、正しく知ることが大切ですね。

そうですね。例えば、飲食店が時短営業になったら、「じゃあ昼に行けば感染しない」と思う人がいます。緊急事態宣言が解除になったから、「何をしても大丈夫」と思う人もいる。そういうことではありません。

一方、飲食店が時短営業となった際、飲食店から感染が広がるといわれましたが、そうではありません。ほとんどの飲食店は感染対策を取っており、どちらかと言うと、客が飲食店の言うことを聞いてくれない場面の方が多いのです。まさに、行く側の人の節度が求められていると思います。

――「飲酒」などの場での飛沫感染に比べて、接触感染の割合は低いように思えますが、実際はいかがでしょうか。

低いと思いますが、実際にゼロではないことも事実です。

中には、どこにウイルスがあるか分からないから、人が触ったテーブルや器具などは〝全て消毒しよう〟とか、人が来るたびに消毒しようと過敏に反応する人もいますが、ウイルスは存在する場所から浮かび上がるというよりも、感染者の飛沫が付着した物を触った手で、目や鼻をこするから感染するのです。だからこそ、最も大事なのは、手洗いや手指消毒です。

もちろん、物の消毒で感染リスクは下げられます。〝できることは何でもやろう〟と努力できるなら良いですが、〝毎回消毒しなければいけない〟と過度に恐れることはありません。
一方で、不十分なやり方の消毒で安心感だけが行き渡るのも逆効果ですが、〝対策しても意味がない〟と投げやりになることも禁物です。これからは、そのバランスが求められると思います。

全てのつながりを断つ必要はない

――バランスという点では、人との距離の取り方も問われています。多くの人が「三密」を回避する一方、人々が孤立してしまうリスクが問題となる中で、限られた範囲での交流を大切にする「ステイ・ウィズ・コミュニティー」という考えが注目されています。

コミュニティーの最小の単位は、家族ですね。家族の中では「密」になるのは当たり前であって、それを避けるために別々に暮らそうというのは、私はあり得ないと思います。もっとも、家族の中に基礎疾患のある方や高齢者がいる場合を除《のぞ》けば、家族内で誰かが罹患したとしても重症者が出る可能性は低いといえます。また、マンションなどの集合住宅で、一つの家族に感染者が出ても、それが住宅内のクラスターにつながったということはこれまでにありません。最小単位である家族から、少し広げていけば、親戚や特定の友人、地域のつながりも、そうしたコミュニティーの一部であるといえます。
体調が悪い時はもちろん控えた上で、「飲酒や飲食」「大声」「マスクなし」といったリスクを避けていけば、日常の全てのつながりや動きをシャットアウトする必要はないと考えます。

ワクチン接種で発症や重症化を防ぐ

――人々が安心して交流できる社会を取り戻す一歩として、二〇二一年二月からワクチンの医療従事者への先行接種が始まりました。

ワクチンは、ウイルスが体内に入った際に、発症や重症化を防ぐ効果があり、それによって社会全体の流行を防ぐことが期待されます。ただ、症状が抑えられたとしても、ウイルスが体内にいる可能性もあるため、周囲にうつさないよう、ワクチン接種後も「三密の回避」「マスクの着用」といった基本対策が重要になります。

日本で接種が始まった米ファイザー製のワクチンの海外治験では、接種した人の方が、接種していない人に比べて、発症者を九五パーセント抑えられたと発表されています。まだ日本で効果があったと手応えを持つには早い面がありますが、日本での有効性も海外と同等になるのではないかと想定しています。

ただし、日本は海外と異なって感染者数・重症者数が桁違いに少ないので、一般の方にとっては明瞭な効果として感じ取りにくいかもしれません。

また、先ほど、変異株の話題になりましたが、ワクチンの中には、変異ウイルスに対して効果が減少するタイプもあるようですが、その対策も進められています。現在（二〇二一年三月時点）、変異ウイルスが日本を席巻《せっけん》しているという状況ではないので、変異ウイルスが出ていることを理由にワクチンを接種しないという選択は、ないのではないかと思います。

――安全性を懸念する声もありますが。

現時点では日本を含め、世界で進められているワクチンの接種で、明らかに重篤な副反応を引き起こした例はありません。

そもそもワクチンに多少の副反応はつきもので、発熱や倦怠《けんたい》感などを予期しておくことが重要です。ごくまれに、アナフィラキシー（全身に症状が強く出るアレルギー反応）の症状が出ることもありますが、その症状は、ほとんどの方が接種から一五～三〇分で現れることが分かっています。発症した方に対して、その場で早期の治療を行えば、生命的には問題なく、また正常に回復するので、三〇分間静かに様子を見ることはとても大切になります。

――今回の接種は、皆が並んで、どんどん打っていくようなイメージとは違いますね。

日本で現在、準備されている集団接種は、かつて学校の体育館などで一斉にやったようなやり方ではなくなっています。持病のある人はあらかじめ主治医に相談していただきたいと思いますが、それ以外でも「以前にこんな病気をした」「今日の体調で接種しても大丈夫か」などと心配される方もいると思います。被接種者には、事前に予診票を書いてもらい、会場で医師がチェックしてから接種という流れになります。そうしたステップを踏むことで、副反応のリスクは下げられると思います。

またワクチンは、発症や重症化を防ぐだけでなく、体内でのウイルス増殖を抑える効果が期待できるので、周囲にうつすリスクも減らすことができます。その意味では、自分の命を守るだけでなく、接種していない人も一緒に助けるものだと思います。

私はそうした点から接種した方が良いと思いますが、日本の予防接種は強制接種ではありません。不安な方、ワクチンを避けたい方は「自分は、やらない」という選択ができるようになっています。メリットと、副反応が起こるかもしれないというデメリットを比べて、最終的にはご自身の考えで判断していただければと思います。

過度に恐れず、しかし侮《あなど》らず

――収束まで、どのような心構えが大切でしょうか。

一年前は手探りで始まった〝未知のウイルス〟への対策について、今では多くのことが分かっており、この半年で、ワクチンの開発を含めて大きな進歩がありました。同じように、半年後、一年後には、さらなる理解や進歩があり、状況は必ず良くなると期待していただきたい。

また、何をやるにも慎重な人と、まったく慎重ではない人の違いはありますが、極端に揺れ動く必要もありません。一人で閉じこもって何もできないような状態がいつもの生活となっても良くありませんし、逆に何も注意しなくても大丈夫だと考えるのもまずいと思います。

過度に恐れず、しかし侮《あなど》らず、一人一人が知恵を働かせ、できないことばかりではなく、できることを少しずつ見つけ、増やしていくことが「ウィズコロナ」の心構えではないでしょうか。

第2章

人間と生命の可能性を問う

2021年2月5日付掲載

三八億年の間、変化に対応し、存続してきた生命の力信じて

生命の誕生は、38億年前にさかのぼる。中村名誉館長は、そこから連綿と続く生物の歩みをひもときながら、人間本来の尊さと生き方を研究し続けてきた。

中村桂子

JT生命誌研究館名誉館長

なかむら・けいこ　東京都出身。理学博士。東京大学理学部卒。同大学院生物化学修了。三菱化成生命科学研究所、早稲田大学人間科学部教授、大阪大学連携大学院教授などを歴任した後、JT生命誌研究館の館長を務めた。二〇二〇年三月に退任し、現在は名誉館長に。『生命誌とは何か』『自己創出する生命』『科学者が人間であること』など著書多数。

想定外への弱さ

――科学者として、生命の歴史を探究してこられた視点から、新型コロナの感染拡大をどう見ていますか。

コロナ禍は、社会にさまざまな混乱をもたらしていますが、現代の人間が「変化」に対してすごく脆弱《ぜいじゃく》であることが浮き彫りになったと思います。

そもそも生きものを含めて自然は、思いがけないことの連続のはずなのに、私たち人間には、それらをコントロールできるという慢心が、どこかで生まれていたのではないでしょうか。

それは社会が、「人間は生きものであり、自然の一部である」という当たり前の感覚を、失ってしまったということでもあります。

ここで、生きものとは何かを考えてみます。私の尊敬する生物学者のフランソワ・ジャコブ博士は、その特徴として一番に、「予測不可能であること」を挙げていました。さらに、「ブリコラージュ」――フランス語で有り合わせのものを組み合わせるという意味ですが、生きものもそういう存在なのだよ、とも。

この考え方に立つということは、〝思いがけないこと〟〝想定外のこと〟が起きるのは、当たり前だと思って生きることです。感染症の流行も、予測はできなかったとしても、決してあり得ないことではないわけです。

本来、自然の一部である人間は、そうした変化を受け止め、柔軟に対応する力を持っているのですが、近代以降、人間社会は利便性・効率性ばかりを追求し、手のかかるもの、制御できないものを遠ざけてきました。

そして、科学技術によって原子力などの莫大《ばくだい》なエネルギーを生み出し、まるで世界全体が、機械のようにスイッチ一つで動かしたり、止めたりできるような錯覚《さっかく》を抱くようになりました。そうして、変化に弱い社会になったわけです。

私は、面倒な部分や手のかかる部分も含んでいるところに、生きものとしての良さがあると思っています。

例えば、ロボットと人間の赤ちゃんを比べてみると、ロボットは、人間の命令通りに行動するのが前提です。手がかかるというのは、機械の世界ではマイナスです。

一方で、赤ちゃんは、親の言うことを聞かなかったり、急に泣いたり、思いがけないことの連続です。すごく手がかかる存在ですが、そこに人間は、いとおしさや生きがいを抱くわけです。誰かに言われたからではなく、面倒なことを自ら引き受けて、人間が持つ本源的なエネルギーで大切に育てていきたいと思いますよね。

何でも手がかからないようにするのではなく、〝大変だけど楽しいな〟と感じられる、そのこと自体が「生きている」ということなのだと思います。コロナ禍の今、そうした感覚を取り戻すことが大切であると実感しています。

――機械論的世界観から、生命論的世界観への転換を訴えてこられました。

ＡＩ（人工知能）は、過去の事例を分析して、最適解を導き出すには有効です。しかし未知の事態に対して、答えを出す点では完全ではありません。

そういった意味からも、人間の科学に対する盲信、いわば「機械論的世界観」の広まりが、社会における柔軟性を失わせてしまったと考えています。

一方で、コロナ禍にあって、医療や運輸・物流、小売業などに従事するエッセンシャルワーカーの重要性が、再認識されました。デジタル技術が進んできたとしても、私たちの社会を根底で支えているのは、機械ではなく人間なのだということに、私たちは改めて気付きました。もう一度、「生きものであり、自然の一部である」という視点を基盤とした健全な社会をつくることが大切です。それを私は、「生命論的世界観」の確立として提唱してきました。

問い掛けの欠落

――「JT生命誌研究館」の設立（一九九三年）を構想し、長年、館長も務められました。改めて、「生命誌」とはどのような研究ですか。

多くの生命は、一つの受精卵から始まり、それが細胞分裂を繰り返して、身体を形づくることで存在しています。

生物の細胞には、その生物に関する全情報が書き込まれたゲノム（注1）が含まれ、そのゲノムは両親から受け継がれています。両親のゲノムもまた、それぞれの両親から受け継がれています。

そうして、ゲノムの情報を二代、三代……とたどると、やがて生命の起源である三八億年前

JT生命誌研究館（大阪府高槻市）に展示されている「生命誌絵巻」。地球上の全ての生物が38億年の歴史を持ち、相互に関係し合うことを示している（協力：団まりな、画：橋本律子、写真提供＝JT生命誌研究館）

にさかのぼります。

　つまり、地球上のあらゆる生物は、三八億年前に生まれた細胞を共通の祖先としています。私たち人間の体にも、三八億年に及ぶ生きものの歴史が詰まっているのですね。

「生命誌」は、生物の構造や機能の研究に加え、祖先細胞が進化し、多様化する過程を知ることで、生物の本質を探究しようとする取り組みです。

　ＪＴ生命誌研究館に展示されている「生命誌絵巻」（写真）は、生命の共通性と多様性を表現しています。扇《おうぎ》の〝要《かなめ》〟には祖先細胞、扇の〝天〟には三八億年を経て多様な進化を遂げた生物たちが、描かれています。

地球上の生物は、今では姿・形がバラバラですが、実は全てが同じ祖先を持つ仲間です。人間とは全く違うと思える生物にも、共通性を見いだすことができます。

例えば、チョウは種類によって卵を産み付ける植物が決まっています。どのように見分けるかというと、チョウの脚《あし》の先端にある「化学感覚毛」と呼ばれる部位で、葉の種類を識別します。この化学感覚毛の細胞と、人間の舌にあって、味覚を感知する「味蕾《みらい》」という器官の細胞は、興味深いことに、全く同じ構造をしているのです。

人間が、他の生きものとつながった「自然の一部」であることが分かります。

――「生命誌絵巻」の左上には、人間も描かれています。

人間も、生物の多様性の中に含まれる一部ですから。地球という有限性を持った環境のもと、他の生物と共存しながら生き続けてきたのです。

ここで強調したいのは、生物が、三八億年という長大な間、生きながらえてきたという事実です。さまざまな環境の変化に対応し、姿・形を多様化させながら、生命を絶やすことなく存続させてきました。このことに、私たちは自信を持って胸を張っていいと思うのです。

生命論的世界観は、そうした「続くことの大切さ」を重んじます。一方で、機械論的世界観が追求するのは利便性です。

地球が存続し、人類が生き続けていくためにどうすればいいかを考え、そのために必要な科学技術を考え出すのが、本来の順序のはず。しかし近代は、継続性を二の次にして、目先の経済成長や技術革新を何よりも優先してきました。

その結果、環境破壊をはじめ、多くの生物を絶滅の危機に追いやる問題が山積する社会になりました。その底流では、「どう生きるか」という根本の問い掛けが、抜け落ちてきたわけです。

そうした人類の営《いとな》みを見ていると、まるで人間が扇の〝外〟にいて、自然や他の生物を支配しているような錯覚に陥《おちい》っている気がしてなりません。

その違和感を私が初めて抱いたのが、一九五六年に水俣病（注2）が確認された時です。海中に有機水銀を流せば、プランクトンから魚へ、魚から人間へと濃縮していくのは、当然の帰結です。しかし人間は、海中の生きものにまで思いが至らず、「ただの水」に汚染物質を流しても希釈されると思ったところが、重大な誤りでした。

自分たちが生物の関わりの中に生きていることを忘れ、利潤のみを追い求めようとする人類の営みが、悲劇の結果につながった象徴的な例と言えます。

機械論から生命論へ――。
今を大切に生きる中に「希望」が

――自然界の中にあっては、人間だけが〝特別な存在〟ではないことを、コロナ禍が教えています。

機械というのは「均一であること」が重視されますが、生きものは、「どれだけ多様であるか」が大切です。多様であったことが、三八億年の存続を可能にしたと言えるのです。

多様性こそが本来の生きもののありようであり、何より尊重されるべき価値であるという点は、人間と他の生物、自分と他人という関係性についても、言えることです。互いに違うからこそ、決して均一ではない、豊かな関係性が生まれていくと思うのです。

そう考えると、生きものの世界には本来、区別はあっても、差別はない。アリとライオンを比較して、どちらが優れているかを決めることに、何の意味もないわけです。

同じことは、人間にも言えるはずです。それなのに成長一辺倒の競争の中で格差が生まれ、置き去りにされた人が、救われない社会になってしまいました。人間に優劣がつけられ、差別がはびこる世の中になりました。コロナ禍で、それがさらに顕在化したことを、私はとても憂《ゆう》慮《りょ》しています。

　私の好きな人類進化の学説に「人間が二足歩行を始めた理由は〝弱い〟から」といったものがあります。人間の祖先は、動物の中では弱いから、森の端に追いやられてしまう。彼らは、家族のために、遠くまで食料を探し、持ち運ぶ必要があったため、二足歩行が始まったという説です。弱いけれど、思いやりがあったから、今まで生きてこられたと思うのですね。

　人間は、理性だけではなく、「情感」を持っています。この情感は、つながり合うことで育まれ、引き出されます。相手のことを考えて行動したり、時には我慢したりするなどの、思いやりとなって表れます。

　今、私たちが毎日、実践する手洗いやマスクの着用も、自分の命を守ると同時に、感染の広がりを抑えて他の人の命を守るという意味では、非常に思いやりにあふれた行為と言えます。理性と情感をもって生きることは、コロナ禍でますます大切になるのではないでしょうか。

想像力があるから、未来に希望を抱ける

――「生きものであり、自然の一部である」との価値観を、社会の根底に根付かせ、生き方の中心に据えていくためには、何が必要でしょうか。

生物にとっては、眠ったり、食べたり、家族や友人と話したりといった「日常」が最も重要です。日常の中で、「自分は生きものである」という感覚を見いだし、そこを切り口にして、より良い生き方を模索することが大切だと思います。

難しく考えると行き詰まってしまいますが、要は、〝今日も生きていて、楽しかったな〟という実感です。とてもシンプルなことだと思いませんか。

私自身、この一年で、テレワークが多くなり、久しぶりに料理する時間や、家族と一緒に過ごす時間が増えました。すると、何げない日々の生活が楽しく、とても健康的に過ごせました。

地位や名誉、経済的な豊かさを手に入れたとしても、生活に楽しみを見いだせず、心身の健康を損なってしまっては、元も子もありません。充実した日常が、どれほど人間の「生きる力」

を育んでくれるのかを、改めて感じます。

「想像力」は、他の動物にはない、人間特有の能力であることが分かってきました。目に見えないものを思い描く想像力があるからこそ、私たちは、遠くにいる仲間を思い、未来に希望を抱くことができます。

コロナ禍の影響で、漠然とした不安を感じている人は少なくないでしょう。今までの社会が目に見える豊かさばかりを追い求めていたため、私たちの想像力も〝近視眼的〟になっているからだと思います。

これを機に、目に見えないものや、より遠い未来にまで思いをはせる想像力を生かさなければいけないと感じます。その第一歩であり、何より重要なのが、毎日の生活での喜びや充実感を見つけることです。今を大切に生きる中でしか、未来を生きる希望をつむぎ出すことはできませんから。

これからを生きる若者の皆さんは、「自分が今後、どういう社会で生きたいのか」ということを真剣に考えてほしいと思います。皆さんの思索の積み重ねが、より良き社会をつくり出すための財産になると確信しています。

注1　ゲノム

ある生物を規定する遺伝情報の全体。遺伝子を構成するＤＮＡ（デオキシリボ核酸）、またはＲＮＡ（リボ核酸）の塩基配列で記述されている。

注2　水俣病

有機水銀による中毒症。熊本県水俣市で、一九五六年に公式確認された。中枢神経が侵され、手足のしびれ、言語障害、目や耳の機能喪失を起こし、重症になると死亡することもある。

2020年4月15日付掲載

ウイルスを臨機応変に攻撃する 絶妙な「免疫系」のシステム

緊急事態宣言が出された時こそ、正念場——こう指摘したのは、免疫学、細胞生物学が専門の佐藤准教授である。この分野における最先端の研究者の手記を紹介する。

佐藤健人

東海大学医学部准教授

さとう・たけひと
一九六一年、東京都生まれ。博士（理学）。東京大学理学部生物化学科卒業、同大学院博士課程修了。東海大学医学部免疫学教室助手、講師、助教授を経て現職（基礎医学系生体防御学）。

新型コロナとの闘いは今が正念場

新型コロナウイルスの感染拡大が止まらない。今月（二〇二〇年四月）七日、政府の緊急事態宣言が発令された。今が正念場である。

多くの専門家も指摘するように、私たちが今できることは密閉、密集、密接という「三密」を徹底して避けること。つまり「感染しない」ことと、〝もし自分が感染者だったら〟という自覚に立ち、特に高齢者や基礎疾患を持つ人に「感染させない」ことである。その上で、各人が体調管理に心を配り、バランス良い免疫系のポテンシャル（潜在能力）を保つことが肝要である。

私たちには、脳の働きとは独立に「自己」というものを規定し、「非自己」を排除する免疫系というシステムがある。体内に侵入し、持ち込んだ遺伝子の複製・発現を無理強いするウイルスは、宿命的な「非自己」的存在である。だから免疫系は、さまざまな戦法で「非自己」であるウイルスを排除できるように進化してきた。

人間が持つ免疫系のポテンシャル
体調管理でその力を保とう

最も洗練された戦法は、侵入したウイルスの情報に基づき、これに特化した攻撃を行うもので、抗体の産生はその一環である。これは感染によって得られる抵抗性なので「獲得免疫」と称される。ワクチンは、この力を利用している。

獲得免疫を担う免疫細胞は、その一つ一つが遺伝子の情報をランダムに切り貼りするという驚異的なやり方で、さまざまな「非自己」と闘う膨大な特殊小隊を用意しており、その小隊には、かつて人類を苦しめた天然痘《てんねんとう》ウイルスを担当するものや〝いまだ地球上に現れていない病原体〟を担当するものまである。このようにして免疫系は、あらかじめ予測できない「非自己」に対しても、臨機応変に闘えるように備えている。そして、一度ウイルスが侵入したら、これら小隊が増殖し、大隊となって、「非自己」の撲滅に当たるのだ。

獲得免疫は強力な戦法だが、弱点がある。それは、小隊が十分な戦闘態勢を築くまでに数日以上の時間を要することである。

この弱点を補《おぎな》うのが、「自然免疫」である。自然免疫は相手に応じた作戦など取らず、「非自己」の侵入とみるや直ちに攻撃する。迅速で強力だが、少々荒っぽい。熱が出たり、腫《は》れたりする炎症は、こうして起こる。しかし、これらの症状も、「非自己」の排除を行うために有効に作用するものだ。

「自然免疫」系と「獲得免疫」系がバランス良く反応すれば、私たちは「非自己」を排除して「自己」としての調和を回復できる。

調和こそ時代のキーワード

それでは、新型コロナウイルスに感染して無症状や軽症で済んだ人、重症化した人では、何が違ったのだろう。過去の感染やワクチン接種によって免疫系が強化されていた可能性、または何らかの理由で免疫系のバランスが乱れていた可能性などが考えられる。

二〇〇三年に「ＳＡＲＳ（重症急性呼吸器症候群）」が流行した際、免疫系の暴走によって重症化したと考えられる症例が少なくなかった。「サイトカイン・ストーム」と呼ばれる症状である。

サイトカインは、感染局所に免疫細胞を招集したり、活性化させたりするなど、さまざまな

〝メッセージ〟を伝達する物質である。これが過剰に産生されると、「非自己」に向けられるべき攻撃が私たちの身体という「自己」にも向けられ、臓器を破壊してしまうこともある。免疫系は〝諸刃《もろは》の剣《つるぎ》〟となるのだ。ウイルスそのものの毒性ではなく、これを排除する免疫系が、かえって重症化の要因となるのである。ワクチンの開発を含め、〝免疫反応をどうすれば適切にコントロールできるか〟が、大きな課題である。

そこで今、あえて大局的に見るならば、大事なのは〝調和〟ということではないかと思う。

〈人間の体内〉多くの生命の共闘が支える身体
〈人間と環境〉自然破壊がつくる新たな感染症

私たちの身体は、多くの「生命」の調和的統合で成り立っている。

例えば、私たちの一つ一つの細胞に含まれるミトコンドリアも、太古には独立した生物であった。ミトコンドリアには、酸素を使って生命活動に必要なエネルギーをつくり出す重要な役割がある。

免疫系との関連で言えば、獲得免疫を維持するためにはミトコンドリア機能が活性化することが極めて重要で、反対にミトコンドリアが損傷を受けると、感染がなくても自然免疫が発動してしまうことなどが近年、明らかになっている。ミトコンドリアの機能維持には、適度な運動が有効であることが知られている。

また、腸内には、一〇〇兆個ともいわれる細菌が共生している。そうした細菌が食物を分解して、さまざまな物質を合成してくれるからこそ、私たちは生命活動を維持できるのである。

免疫細胞のためにも腸内細菌は重要で、腸内細菌なくして免疫系の調和は成立しない。

賢明な食生活で腸内細菌のバランスを整え、食事、運動や睡眠など生活の基本を大切にすることが、結果として免疫系の「調和」をもたらす鍵となるのである。

「調和」は体内だけではなく、人間と環境においても求められる。

森林伐採が急速に進行する地域では、通常は野生生物の間でのみ発生する感染症が、人間にまで広まる例が見られている。自然破壊が進めば、新たな感染症を引き起こす状況をつくり出してしまうと警鐘を鳴らす専門家もいる。

まさに「調和」は、人類的課題のキーワードではないだろうか。

求められる共生の哲学

世界の研究者たちが今、新型コロナウイルスのワクチン開発に当たっている。

ワクチン開発の礎《いしずえ》となったのは、天然痘が猛威を振るっていた十八世紀に、イギリスの医師であるジェンナーが「牛痘《ぎゅうとう》」を用いた予防接種を始めたことが起源とされる。しかし、ジェンナーより七〇年以上も前に、ワクチンの原型となった試みが、メアリー・ウォートリー・モンタギューという一人の女性によって、イギリスに広められていたことは、あまり知られていない。

彼女は、弟を天然痘で亡くし、自らも罹患《りかん》によって、その容貌《ようぼう》を傷つけられた。それまで中国やインドなどの東方世界では、天然痘に一度罹患すると、再びは罹患しないことが経験的に知られており、患者の病変部のかさぶたや膿汁《のうじゅう》をあえて接種し、「獲得免疫」を誘導することが積極的に行われていた。それを知った彼女は周囲の反対を押し切り、愛する息子に、これを試したのである。そして効果を確信すると、王室などに働き掛け、その普及に努めた。

やがてイギリス社会に浸透していくことになるが、それでも世論の賛否は二分していた。効果的な予防法であるにもかかわらず、「命を奪うもの」「神の御心に背くもの」と、さまざまな悪評が流されたのである。しかし、彼女は、そうした風評に屈しなかった。医師らの前で自分の子どもたちへの接種を行い、正しい効果があることを再び証明してみせた。こうした努力が、より安全性の高いジェンナーの牛痘接種へとつながっていったのである。

彼女は医療の専門家ではなかったが、主体者として立ち向かった。私たちも彼女のように、一人一人が今できることを真剣に考えながら、今回の感染症に立ち向かっていきたいと思う。

一方、ネット上などに無責任とも思われる批判やデマ、感染者に対する心ない差別があふれている。サイトカインというメッセージ物質が暴走して人間を破壊するように、無責任で誤った情報が飛び交えば、社会を分断させ、人類を滅ぼす因となりかねない。正しく価値的な情報に基づきながら、行動することを心掛けたい。

人類は今後も、感染症の挑戦を受けることになるだろう。さらに厳しい試練がないとも言えない。その中にあって、人間と人間、人間と環境を調和へと導く共生の哲学が、これからの世界にますます求められていくと思う。

2020年5月27日付掲載

新型コロナのパンデミック 乗り越える鍵は 皆が地球規模で考えること

猛威を振るう新型コロナウイルスは、なぜ出現したのか――。世界各地を飛び回り、動物を介して人にうつるウイルスの感染メカニズムを解き明かしてきた、髙田教授が語る。

髙田礼人

北海道大学人獣共通感染症リサーチセンター教授

たかだ・あやと　一九六八年、東京都生まれ。獣医学博士。専門は獣医学、ウイルス学。北海道大学獣医学研究科助手、東京大学医科学研究所助手などを経て現職。エボラウイルス研究の第一人者として知られる。著書に『ウイルスは悪者か』など。

――新型コロナウイルスの出現について、どう思われていますか。

正月明けくらいに、中国で原因不明の肺炎が流行していると報道され、これが他の地域に広がったら、どのくらいの影響を及ぼすかと心配していました。

今回の新型コロナウイルスは、感染しても症状の出ない「不顕性《ふけんせい》感染」も多いことが対策を難しくさせています。感染者が感染に気付かず、他の人と接触してウイルスを撒き散らしてしまう可能性があるからです。ＳＡＲＳ（重症急性呼吸器症候群）やＭＥＲＳ（中東呼吸器症候群）に比べて致死率は高くないものの、今は警戒が必要だと思います。

――教授はこれまで、エボラウイルスやインフルエンザウイルスの研究をされてきましたが、今回のウイルスもエボラウイルスと同じく、コウモリの持っていたウイルスと考えられています。

新型コロナウイルスに非常によく似ているウイルスがコウモリから見付かっているので、自然宿主《しゅくしゅ》（もともとウイルスと共存している動物）はコウモリと考えられます。その上で、どうしてコウモリに、そんなに多くのウイルスがいるのかとよく聞かれます。あくまで推測ですが、コウモリは洞窟《どうくつ》等の密閉した空間で密集・密接して生活しているものが多いのです。いわゆる「三密」です。そういった環境は、ウイルスが維持されやすいのだと思います。
ただ実際は、コウモリとともにげっ歯《し》類（ネズミの仲間）もまた、多くのウイルスを持っていることが分かっています。そうしたウイルスがたまたま人や他の動物に入った時に、感染症を引き起こすのです。

――エボラ出血熱で臨床試験が行われていた「レムデシビル」が、新型コロナウイルス感染症の治療薬として国内で承認されました。

新型コロナウイルスは感染した細胞の中に入り込み、自らの遺伝情報（ＲＮＡ）を複製させていきますが、この複製の際に必要なのは、ウイルスが持っている「ＲＮＡポリメラーゼ」という酵素《こうそ》です。「レムデシビル」には、この酵素の働きに作用する性質があり、結果としてウイルス遺伝子の複製を阻害《そがい》することができます。日本で注目されている抗インフルエンザ薬「アビガン」も似たような機能を持っており、二〇一四年に西アフリカで流行したエボラ出血熱の治療にも使用されました。ともに副作用があることも指摘されていますが、有効な薬の候補であることに間違いはありません。

ウイルスは無生物だが生物的
自然界で生き物と静かに共生

――RNAを持つウイルスは、変異しやすいといわれます。さらに凶暴化することはあるのでしょうか。

それは分かりませんが、そもそも重症化しやすいウイルスは、生き残りにくい。感染者に依存して自らの子孫を増やすウイルスにとって、生き残るためには〝一人の感染者から一人以上に感染させること〟が求められますが、感染者が重症化して寝込んでしまうと、他の人にうつすことができず、途絶えてしまう確率が高くなるからです。なので、毒性が強すぎるウイルスは、生存戦略としても望ましくないのです。

また新型コロナウイルスは、普通の風邪を引き起こしているウイルスと同じ「コロナウイルス科」に属します。断定はできませんが、このまま人類に定着するならば、長い年月をかけて弱毒化していくだろうと思っています。

――ウイルスを、まるで生き物のように語られますね。

　生命活動に必要なエネルギーを生み出す「代謝《たいしゃ》」を行わず、自ら分裂して「増殖」することができないウイルスは、生物学的には「生物」ではありません。ですから、ウイルスは〝ただの物質〟と考えることもできますが、ひとたび生物に感染すると、生物の細胞の代謝能力などを利用して、自らの遺伝情報を複製させるのと同時に、ウイルス固有のタンパク質を合成させ、子孫をつくっていきます。まさに〝極めて生物的な物質〟といえます。

　また、そう考えるようになったのは、私が長年、人と動物に共通して感染する「人獣《じんじゅう》共通感染症」を研究対象としてきたからかもしれません。人と動物の接触によって起こりうる事態を予測し、先回りで予防策を立てるために、これまで各地でフィールドワーク（現地調査）を続けてきましたが、その中で動物を生かし、時には支えながら自分も生き続け、自然界で静かに存在するウイルスの姿を見てきました。そのあり方から、ウイルスも地球上に存在する生命体の一部であると感じるのです。

——そうしたウイルスがなぜ、人間にとって致命的な病気を引き起こすものに変わってしまうのでしょうか。

長い時間をかけて築き上げられたウイルスと自然宿主動物との蜜月な関係に、人間が踏み込んでしまったからでしょう。

人獣共通感染症の多くは、野生動物との接触から始まります。自然破壊などを通して人間の活動領域が広がったことや、地球温暖化による動物や昆虫の生息域の変化で、ウイルスと共生していた動物との接触が増える。すると当然、今まで人との接触がなかったウイルスと出くわす可能性も高くなります。野生動物からまずは家畜に感染し、それが人に伝播するという経路もあります。そのウイルスが人への感染に成功し、爆発的に増殖できる条件を備えたものであれば、高い病原性を示すこともあるのです。

また、人類の食糧問題とも深く関係しています。先進国では野生動物を珍味として食べているかもしれませんが、途上国では生きていくために食べざるを得ない状況もあります。その動物の血液、粘液《ねんえき》、尿《にょう》あるいは糞《ふん》等に触れることで感染する恐れがあるのです。一方、こうした感染の恐れのある動物を食べないようにするため、農業や畜産業を発展させようと思っても、農地などを広げるためには、やはり自然に踏み込まざるを得ない。こうした環境破壊や食糧問題とどう向き合うかも、人類に問われていると思います。

コロナ後に求められる新たな哲学は「ワンヘルス」（人と動物と環境の健康）

――仏法には、環境（依報）と人間（正報）は密接に関わっていると説く「依《え》正《しょう》不《ふ》二《に》」という法理があり、自然破壊は人間の命を脅《おびや》かすものとなり、逆に自然を守ることが人間を守ることにつながると考えています。

興味深い視座です。私たちの大学院では今、人の健康、動物の健康、環境の健康は互いにつながっていると捉える「ワンヘルス」という考えをもとに教育・研究を進めています。「依正不二」とも共鳴するのではないでしょうか。

ともあれ私たちが研究を続けているのは、今の脅威《きょうい》はもちろん、新たに遭遇するかもしれないウイルスにも備えるためです。近年は遺伝子の配列を高速で調べることができる「次世代シーケンサー」と呼ばれる装置も生まれ、今まで発見できなかったウイルスも検出できるようになりました。こうした科学技術の力も使いながら、獣医学、医学、環境学という分野の垣根を越えて、感染症対策に当たっていきたいと思っています。

――最後に、新型コロナウイルス対策で私たち市民が心掛けるべき点を教えてください。

世界がこういう事態になっても、悲観も楽観もせず、なるべく平常心でいてほしいと思います。

その上で、たとえ緊急事態宣言が解除されても、「自分の地域は大丈夫」と人々が一気に動きだせば、当然、再び感染は広がります。感染が世界に広がっている以上、日本だけが乗り越えればよいという問題でもありません。

私自身、「シンク・グローバリー、アクト・ローカリー」という言葉、つまり〝地球規模で考え、足元から行動する〟ことを大切にしていますが、一人一人が世界全体のことを考え、今できることを地域や個人レベルでやっていく。この心掛けが大事だと思います。

2021年1月23日付掲載

〝弱いロボット〟が教える豊かな関係性のあり方

変化の絶えない不安定な時代を生きるには、「強い個人」であらねばならない……というイメージとは異なった生き方を提唱するのが岡田教授の研究だ。その内容、真意とは——。

岡田美智男

豊橋技術科学大学教授

おかだ・みちお
一九六〇年、福島県生まれ。東北大学大学院工学研究科博士後期課程修了。工学博士。NTT基礎研究所情報科学研究部、国際電気通信基礎技術研究所等を経て、二〇〇六年から現職。専門はコミュニケーションの認知科学、社会的ロボティクス、ヒューマン・ロボットインタラクション、生態心理学など。〈弱いロボット〉の提唱により、平成二十九年度科学技術分野の文部科学大臣表彰科学技術賞（科学技術振興部門）等を受賞。主な著書に『〈弱いロボット〉の思考』『弱いロボット』などがある。

——岡田教授が研究している〈弱いロボット〉とは、どのようなロボットでしょうか。

ものづくりというのは基本的に、一つの個体にいろいろな機能を閉じ込めて、自己完結させるのが望ましいという発想で成り立っています。ですから一般的にロボットは、「あれができる」「これもできる」と、できることを強調するわけです。

それは私たち人間も同じで、例えば、小さな子どもは〝早く一人で靴下をはけるように〟と期待され、あるいは学校の試験も、誰の手も借りずに、一人で受けるのが当然です。一人でできることを、良しとする価値観があるのですね。

個の力で物事を解決しようとする考え方は、「個体能力主義」と呼ばれます。しかし私たちは、必ずしも、個の中だけで閉じたまま活動してはいないのです。子どもは一人で靴下をはいているように見えて、実は、背中を壁につけたり、いすに座ってバランスを取ったりするなど、周りを頼っています。

私は、〝自己完結が当たり前〟という常識を捉え直し、周りに支えてもらうようなロボットを作れないかと考えました。個体の機能をそぎ落とし、周囲との関係性を探究できれば面白い、と。

そして、学生たちと一緒に、〈弱いロボット〉と名付けて開発に取り組んできました。自分だけでは問題を解決できない「弱い」存在ですが、周りとの関係性を豊かに構築することで、最後は目的を達成してしまうようなロボットです。

引き算の発想

――〝なんでもできる〟ことを目指すのではなく、周囲の手を借りるのですね。

一例として、私たちが開発した〈ゴミ箱ロボット〉には腕がなく、自分ではゴミを拾えません。では何をするかというと、ゆっくりと歩き回り、ゴミが落ちているのを見つけたら、体を揺らしたり、声を出したりしてアピールするだけです。

そうしているうちに、様子を見ていた周囲の人たちが、一生懸命、ゴミを集め始めたりします。自分ではゴミを拾えなくても、周囲の助けを引き出して、結果として、ゴミ拾いという目的を完結するわけです。

拾った物がゴミなのか、誰かが落としたものなのか。燃えるゴミなのか、燃えないゴミなの

人の手を借りてゴミを拾い集める〈ゴミ箱ロボット〉（本人提供）

か。価値があるのか、ないのか。そういった判断は、ロボットには難しい側面があります。また、例えば薄っぺらいゴミを拾うことも、ロボットのごつごつした手では大変です。

むしろ、そうしたことは人間の方が得意です。そうであれば、人に手伝ってもらった方が早いんですね。すると、どんどん機能を追加する「足し算」ではなく、シンプルに作って、多くを周囲に委《ゆだ》ねる「引き算」のデザインになります。そんな発想から、〈弱いロボット〉が生まれてきました。

〈ゴミ箱ロボット〉は、「もこもこ」と意味不明な言葉を発しながら、ゴミが落ちていることを周囲に知らせます。ここで「ゴミが落ちている。拾って」と言ってしまうと、人間は〝指示されている〟〝使われている〟と感じてしまうのですが、ロボットの言葉が拙《つたな》い分、聞き手側が解釈する余地が残ります。

〝困っているのかな〟と聞き手側が考えることで、〝放っておけないな〟という優しさも引き出されるのですね。納得した上で手伝うので、ロボットが目的を達成できたことを、手伝った側もうれしく思います。

効率性や便利さばかりがものづくりの目的になりがちな現代ですが、こうした「関係性」を志向するものづくりの考え方が、あってもよいのではないかと思うのです。

――「弱さ」が結果的に「強み」になる、という視点を示されていますが、人間にも同じことが言えるでしょうか。

人の身体を外から見ると自己完結しているように見えますが、内側から自分を見ようとすると自分の顔すらも見えません。そういう意味では、本当は誰もが不完結なんです。

不完結だからこそ、コミュニケーションを取って補完し合うのですが、人間には、不完全さという意味での「弱さ」を他の人に見せようとせず、強がってしまう傾向があります。

しかし、目の前の人が、そうした「弱さ」を少し開示してくれると、〝私と同じだ〟と思えて距離が縮まり、共感が生まれます。反対に、互いに強がってばかりいては、なかなか協力関係が生まれないと思うのです。

社会を見ても、弱さは隠されることがほとんどです。しかし、例えば一〇年前、東日本大震災で電力が逼迫《ひっぱく》した際に、電力会社はその事実を隠さず、〝明日は八〇パーセントしか、まかなえません〟といったように公表しました。

弱さが開示されたことで、〝ここは節電できる〟〝この明かりは消せる〟といった、全国の人の工夫や優しさが引き出された面があったと考えています。〝大丈夫、大丈夫〟と強がられてしまうと、そういう共感は、なかなか引き出されないと思うのです。

ブリコラージュが意味するもの

――今、コロナ禍の中では未来を見通すことが難しく、誰もが不安定・不確実な〝弱い〟状況にあると言えます。

「ブリコラージュ」という言葉があります。有り合わせのものをかき集めながら、周りの環境や制約を上手に生かして、問題解決をしていく方法です。

一般的に、何か問題が起こると、事前にデザインした通りの解決法を実行しようとするのですが、世の中に、事前に備えることができるような問題は、そう多くはありません。むしろ、この先どうなるのか分析も予測もできない状況の方が多いわけです。これらは問題が閉じていない、「オープンな（開いた）」状態です。正解が見えないコロナ禍も、まさにオープンな問題であると思います。

こうしたオープンな問題に対しては、周りの環境や制約を味方に付けたほうが都合がいい。

例えば、お掃除ロボットは、真っすぐにしか動けない、シンプルな機能のものです。部屋の壁や机やいすにぶつかると方向転換して、またひたすら真っすぐ進むのです。これは、自分の行動の一部を壁や家具などの環境に委ね、次に進む方向を教えてもらっているということでもあります。

本来、壁や家具は、ロボットにとっては〝障害物〟として、忌《い》み嫌われるようなものです。しかし、それらをむしろ味方に付け、上手に利用することで、部屋を満遍なく掃除してしまう。とても賢いですね。

ブリコラージュは、レシピ通りに料理を作るのではなく、冷蔵庫の有り合わせのもので調理をするようなものです。いつも同じ味にはなりませんが、意外とおいしく、オリジナリティーのあるものが生まれます。

〈ゴミ箱ロボット〉の開発にあっても、技術や研究予算に制約があったからこそ、人に手伝ってもらうロボットを作ろうという発想になりました。もし技術や研究予算がそろっていたら、腕を付けてみたりして、もっと高機能なロボットを開発していたかもしれません。有り合わせの中だからこそ、従来とはひと味違うロボットが生まれたと思っています。

〝不完全さ〟を補完し合うことで強いレジリエンスが生まれる

——周りの環境や制約をバネにしながら働く〈弱いロボット〉は、コロナ禍で求められるレジリエンス（困難を乗り越える力）のあり方を、示唆してくれているように思います。

お掃除ロボットが真っすぐ進んで壁にぶつかり、すかさず進行方向を変えて掃除を行う様子は、周囲や環境を味方にしていくことの〝強さ〟を教えてくれており、人間の生き方にも通じます。

　コロナ禍のように予測不能な状況下では、事前に準備したプランが役に立たないことが、しばしばある。そんな時、目の前に現れる状況を味方に変えていく柔軟性がある人は強いわけです。まず一つの解決策を試して、ダメだったら次の策を素早く取り入れるという俊敏性も、大切になります。

　当事者研究の第一人者で東京大学准教授の熊谷晋一郎さんは、「依存先の分散としての自立」という概念を提唱しています。自立とは「誰の手も借りずに、一人で行えること」ではなく、「依存先を増やし、分散させておくこと」である、と。レジリエンスを「個人の能力や資質」と見るのではなく、「頼れる依存先を豊かにしていくこと」と見る考え方ですね。

　ロボットと人との関係も、人と人との関係も、自分が弱さをさらけ出すことで、相手の優しさを引き出すことができます。その意味で多くの人の恐怖や不安が露呈《ろてい》するコロナ禍は、新たなつながりをつくり、依存先を増やすチャンスでもあります。

　そうした補い合いや支え合いの中で、強いレジリエンスが育まれていくのではないでしょうか。

価値創造の好機

――マイナスと捉えられがちな「弱さ」から「強い関係性」を生むという研究は、価値創造を意味する創価の哲学とも響き合うものです。

その通りだと思います。はじめから全部が備わっているのではなく、ほんのちょっと隙間や余地があることで、周囲が手を加えるきっかけになります。そうして関係性を引き出すのは、人間のつながりも同じですね。

不完全であったり、弱さがあったりするからこそ、そうした面を介して人とつながり、一緒に価値をつくり出していけるのだと思います。

私は高校時代、数学、特に因数分解が苦手でした。毎日、問題集を解くことを自分に課したのですが、一人では解けないわけです。そこで何をしたかというと、次の日に学校で、気のいい友人たちに教えてもらったんです。

ある意味で自分の弱さをさらけ出したわけですが、その友人たちは「そうか、分からないのか」ということで、教えてくれたんですね。弱いところを繕《つくろ》わずに伝えることができれば、次の展開がどんどん見えてくるものだと感じました。

そうしたことができるのは、相手を信頼しているからこそだと思います。そして、相手もまた、弱さをさらけ出してくれることで、信頼関係はさらに強くなります。

不完全さという意味での「弱さ」を互いに共有することで、距離が縮まり、強いつながりが生まれます。そういう豊かな関係性の中では、「○○する側」「○○される側」という線引きは、なくなっていくのだと思います。

反対に、「やってあげる人」「やってもらう人」、「教える人」「教えられる人」というように役割が分かれると、相手にお願いばかりすることになり、要求水準がどんどん高まっていきます。そうなると、互いの間に距離が生まれ、共感や思いやりが失われ、非常にもろい関係性に陥ってしまう。不完全さ、弱さを認め合いながら、皆が支える側にも、支えられる側にもなるような社会づくりが大切です。

コロナ禍は、ある意味で、意図せずとも多くの人が、そうした面をあらわにせざるを得なかったような状況ではないでしょうか。しかしそれは、価値創造のチャンスとも言えます。ある一人が自分の不完全さを正直に伝えることで、周りの人もまた、同じことをしやすくなるからです。その意味で、その最初の一人は「先駆者」と言えるわけです。

最近、「オーセンティック・リーダーシップ」といわれる、自分らしさをさらけ出すことで皆を糾合《きゅうごう》するリーダーシップのあり方が注目されています。〝自分はここが弱いけど、頑張っているよ〟といった等身大のリーダーに、周囲の人は共感し、付いていきたいと思えるのかもしれません。

そうした不完全さの共有の中で、「個人の力」の足し算を超えた、組織としての強さが生まれていくのだと思います。

2021年3月6日付掲載

コロナ禍で迎える震災一〇年——問われるのは一人の「生き方」

東日本大震災から10年の節目を、コロナ禍の中で迎えた。日本思想史・文化史の第一人者で、日蓮研究者としても著名な佐藤教授は、二つの危機を東北の地でどう見つめているのか。

佐藤弘夫

東北大学大学院教授

さとう・ひろお
一九五三年宮城県生まれ。東北大学大学院文学研究科教授。日本思想史・文化史の代表的研究者として活躍する。神仏習合、鎌倉仏教、死生観などをキーワードに、実証的な文献読解を基盤とした大きな精神史のストーリー構築を目指す。『死者の花嫁』『鎌倉仏教』『日蓮「立正安国論」全訳注』『「神国」日本』、作家・柳美里氏との共著『春の消息』など著書多数。

人間以外の存在

――東日本大震災から一〇年の歳月が流れようとしています。区切りが付くものではありませんが、この一〇年の歩みを通し、今またコロナ禍という新たな人類の危機に直面する中で、何を感じていらっしゃいますか。

震災で強く感じたのは〝生かされている〟という感覚です。

地震発生時、私は仙台駅で新幹線を待っていました。仕事で中国に出掛けるためです。仙台空港を経由して行くことも考えていましたが、もしそうしていたら、空港で津波にのまれていたかもしれません。

なぜ自分は生かされているのか。生かされている間に何をすべきなのか。そうした問い掛けは、私自身の研究の方向性にも大きな影響を与えました。

近代以前の日本人にとって、地震や津波などの自然災害、また自然現象は、どう捉えられてきたかを考えたいと思います。

一つの見方では、それらは「カミ」（超越的存在）の力によるものとされてきました。

災害だけではありません。細菌やウイルスによって引き起こされる感染症は、古代からずっと存在してきましたが、それらは「疫病神《やくびょうがみ》」とも呼ばれる、得体《えたい》の知れない何かが引き起こすものと信じられてきました。

疫病《えきびょう》も災害も、人の目には見えない、人知《じんち》を超えた大いなる力によってもたらされるのだと受け止めてきたのです。

そうした人の力を超越した現象に対し、近代以前の人々は、時に畏敬《いけい》の念を持ち、一貫してカミとして扱ってきたといえます。カミの中には、疫病や災害、自然現象だけでなく、もちろん神仏や死者なども含まれます。

現代の私たちにとって、時代をつくり、社会を形づくっているのは人間だというイメージがありますよね。ところが近代以前にさかのぼると、社会や世界を構成する要素として、神仏や疫病、死者といった〝人間以外の存在〟が多く含まれています。

人間と人間以外の存在が共存することで、人と人との間を柔らかくつなぐクッション（緩衝《かんしょう》材《ざい》）のような作用が生まれ、人同士が直接触れ合って傷つくことを防いでいたのです。

カミの存在によって、地域の祭礼や伝統芸能といった公共空間が生まれ、豊かで和《なご》やかな人間関係の維持につながっていました。

しかし近代は、合理化や世俗化の中で人間以外の存在をこの世界から追い出してしまった。クッションであるカミが失われたことで、ハリネズミが互いの棘《とげ》で傷つけ合うような社会になっているのではないでしょうか。

クッションがない狭い空間では、少し身をよじるだけで相手を傷つけてしまう。そうした状況は、コロナ禍でより顕著になっているように思えます。

人と人だけでなく、集団と集団、国家と国家の間でも、カミが存在することで、争いや対立が和《やわ》らげられてきました。

例えば近代以前では、人の住んでいない島は、カミの所有する島だと認識されてきた。ですが、そうした島や土地、海などに人間が境界線を引き、カミを放逐《ほうちく》してしまったのです。

無人島の領有権を巡る昨今の問題もありますが、こうした無人島は誰のものかという発想は近代のものです。近代以前は、無人島はカミのものであるという発想が、集団同士の衝突を防ぐ重要な役割を果たしていました。

近現代のナショナリズムの暴走やヘイトスピーチのような言動は、緩衝材となっていた存在を追い出したことで歯止めが失われ、対立が異常にエスカレートした事態とも考えられます。

特権的存在としての人間だけが社会をつくっている――そんな近代の錯覚による弊害が、至る所に表れてきているのではないでしょうか。

生と死を貫《つらぬ》いてつながる
亡き人と共に歩む物語（ストーリー）を

――佐藤教授は、カミとともに死者を遠ざけてきたことも大きいと指摘されています。

近代以前は、飢饉《ききん》や疫病、戦乱などによって、いつ死ぬことになるか分からない、死が身近に起きていた時代でした。

ところが近代以降の人間は、超越的なものとしてカミと同時に「死」も遠ざけてきました。

東日本大震災をはじめとする自然災害や今回のコロナ禍により、人類は改めて死のリアリティーに直面しているともいえます。

古来、人間は「生」とともに「死」を貫く「ストーリー」を必要としてきました。今また生と死の両方を貫くストーリーが求められていると感じます。

山形県鶴岡市に三森山《みつもりやま》という山があるのですが、庄内地方では、この山に登れば、死者に会うことができるという言い伝えがあります。ここでは、お弁当を広げて、死んだ人と一緒に食事ができる――と。

私も何度か足を運んでいますが、山の上から下界を見つめると、死者のまなざしになるんです。〝自分もいつか死ぬけれど、ここでまた会うことができる。それなら、この山の上にいるのも悪くない〟というふうにも思えるんですね。ここで休んだ後、また生まれ変わって新しい人生を生きていく。そういうサイクルに思いが至る。

これは、死者が生者の生活空間に入り、人と人とを柔らかく包み込んでいるストーリーの一つです。

このような生と死をつなぐストーリーは、時代や地域によって、さまざまなバリエーションが生まれていきます。三森山でいえば、死者と年に一度は必ず会える。そうして通っているうちに、自分もここで死に、また生まれてくる――。死は終わりではなく、次の生への移行期であるという世界観が、人々の安心感となっていました。そうした死者との交流の場が、東北には数多くあります。

ところが現代社会では、死者を追い出し、死を語ることをタブーとする風潮が強まってしまった。葬儀なども簡素化され、死んだ人と時間をかけて付き合うことが少なくなっています。その結果の一つとして、死の世界がこの世と隔絶した暗闇の世になってしまい、生と死を柔らかく行き来できるような自然な感覚が失われてしまう。すると人は、死を極端に恐れるようになってしまいます。

災害やコロナ禍の意味を問う中で、先人たちがつくってきた生と死をつなぐストーリーに、改めて向き合う必要があります。伝統的な死者との関わりの物語に目を向け、それをつくり上げた人間の知恵に光を当てていく——。そこから、現代社会に求められる新たな死生観を見いだすことができるのではないでしょうか。

宗教の役割

——本年（二〇二二年）一月の「SGIの日」記念提言で池田大作先生は、ブラジル・アマゾンの創価研究所が、新型コロナで亡くなった人々を追悼し、植樹を行っていることに言及されていました。

木を植えるということは、木を介した交流によって、生者と死者がつながり続けていけるというストーリーを創り出していく大切な作業といえると思います。

亡き人を縁にしながら、悲しみや苦しみの記憶が、一つの物語と昇華《しょうか》していく。その物語を共有する中で、生きる意味を見いだし、前に進む力へと変えていける。死者と生者の、どちらもが孤立することなく、共に歩んでいく——そうしたストーリーを持つことが大切です。

そこに宗教がもたらす力もあるはずです。古来、どの民族を見ても、宗教のない世界はありませんでした。生死の両方に光を当てた物語を紡ぐために、宗教は大きな役割を果たしてきたのです。

人間は〝死んで消滅する〟という感覚に耐えられないのだと思います。それよりも、生や死を貫いてつながるという感覚を持ち続けられるかが重要です。

そうでないと、人は死の形にこだわりすぎてしまうのではないでしょうか。家族みんなから看取られ、眠るように安らかに亡くなる。そんな理想的な別ればかりではないのが現実です。

今、コロナ禍で、直接触れ合えない別れなどもあり、心苦しい限りです。ですが、どのような死の形に直面しようとも、その悲しみに向き合える故人との絆《きずな》をつくっていけるはずです。

震災では、たくさんの方が亡くなられました。中には、津波が来ることを分かっていながらも、堤防を閉めに行ったり、避難を呼び掛けたりなどして、津波にのまれた方も多くいます。

若い人も大勢いました。

つらく悲しいことですが、この方々は、命というものが、生きた時間の長さだけでは決して測《はか》れないということを、身をもって示してくれたようにも思います。

軽々《けいけい》には言えませんが、普通の人が一〇〇年生きてもできないようなことを、自らの使命として果たしていかれた。それは永遠に消えることはありません。こうしたことも大きなストーリーなのだと思います。

自己の変革から

――佐藤教授は日蓮研究の専門家でもあります。当時の鎌倉時代も、深刻な災害や疫病、さらに他国からの侵略など、危機が続いた時代でした。

日蓮の「立正安国論」では、〝目に見えない超人的な威力や働きをもつもの〟として「鬼神《きじん》」が位置付けられ、乱れた鬼神を元に戻すことで、平穏な世が訪れると示されています。

日蓮が最も心を痛めていたのは、災害や飢饉で人が苦しむことでした。足元に死体がある、生きるか死ぬかの状況です。

そのような時に、「正しい教えを信じれば成仏できますよ」と言っても、庶民に届くはずがありません。伝統仏教の僧侶らは、現実に目を背け、寺院から出ようとはしませんでした。

日蓮は、苦しむ人に手を差し伸べつつ、まず死体が路上のあちこちに横たわる悲惨な状況を改善する必要がある、というところから発想しました。

誤った教えを破折《はしゃく》し、社会を再建する。その上で、民衆一人一人が信仰による自己変革によって仏国土を実現させていく――。悟りの顕現という個々人のレベルでもって、国土の平和が論じられているのです。

今に当てはめるなら、疫病を鎮《しず》めて、コロナ禍を収束させるのは、もちろん大事なことです。しかし日蓮は、その先が重要であると述べているように思えます。

「仏道修行して成仏する」というと特殊な言い方に聞こえるかもしれませんが、端的に言えば、一人一人がどのような生き方をしていくのかが問われているということです。

一人一人の生き方の変革を促し合う中で、人々に正しい死生観を喚起《かんき》する。そうしたことも、日蓮のメッセージなのではないかと思います。

現実が持つ意味

——創価学会員は勤行の御祈念文の中で、「先祖代々並びに亡くなられた会員・友人の追善供養のために」と祈念した後に「世界の平和と一切衆生の幸福のために」と祈ります。故人の思いや人生を携《たずさ》え、現実と向き合っていく。こうしたことも、生と死をつなぐ一つのあり方だと感じます。

生と死をつなぐストーリーの確認といえるかもしれません。

また立正安国論の精神に連なるものではないでしょうか。なぜなら一人一人の行動の変革に基づいて社会を変えていこうとする指向性を有しているからです。

歴史をひもとけば、感染症の流行は、人々の宗教観や死生観に大きな影響を与えてきました。そうした生きることが困難な時代には、きまって偉大な思想が誕生してきたともいえます。

鎌倉時代は、ひとたび飢饉が起きれば、人口が激減するという時代です。

一つの地域から、ほとんどの人がいなくなってしまうほどの危機的状況でした。

もちろん古代から仏教は存在してきましたが、それ以前の仏教は「仏様に手を合わせたら、死ぬはずだったのが助かった」とか、そういったレベルだったともいえます。
人間の力の及ばない事象に直面して、その意味を問おうとする。そうした発想は、中世まではなかったといえます。

心の中にメスを入れ、深くのぞき込むような思想的展開は、鎌倉時代の宗教改革の中で初めて生まれてきたものです。その背景には、深刻な災害や疫病、他国から攻められる恐怖がありました。

同様に、十四世紀のペスト（黒死病）がなければ、ヨーロッパの宗教改革はなかったかもしれません。人知を超えるような事態に直面し、その意味を深く問う中で、困難を突き抜ける思想が見いだされるのです。

震災とコロナ禍を通し、見失っていた生き方や価値観を取り戻していく。私たち一人一人が思索を深め、身近なところから行動の変革を促していく。そこに、危機を乗り越え未来を変える力が生まれてくるのだと思います。

第3章

危機の時代を生きる

2021年5月21日付掲載

災害と災害の「間」を生きる ゆえに「準備」を常に怠らず

感染症のパンデミック（世界的大流行）と向き合う今、長い時間軸で物事を見つめる歴史学の視点から、多くの教訓が得られるのではないか。歴史学者の磯田教授に聞く。

磯田道史

歴史学者・国際日本文化研究センター教授

いそだ・みちふみ　一九七〇年、岡山県生まれ。慶應義塾大学大学院文学研究科博士課程修了。茨城大学准教授、静岡文化芸術大学教授などを経て、二〇一六年から国際日本文化研究センターへ。本年四月から同教授。著書に『武士の家計簿』『天災から日本史を読みなおす』『災害と生きる日本人』（中西進氏との共著）『感染症の日本史』など多数。

国民の安全保障へ

――磯田教授はこれまで日本における自然災害の歴史を詳細に研究され、昨年（二〇二〇年）来、感染症についても多角的な発信をされています。「災害多発時代」ともいうべき今日の日本社会をどう見ているでしょうか。

人間が地球環境に過度な影響を及ぼすようになった今日、頻発《ひんぱつ》し、激甚《げきじん》化する自然災害に対して、私たちの弱さが露呈《ろてい》しているといえます。その意味で、人類は災害との向き合い方を見つめ直す必要があるでしょう。

特に、自然災害が昔から周期的に発生してきた日本においては「災後」というものはなく、私たちは常に「災間《さいかん》」（災害と災害の間）を生きている、という認識が適切だと考えます。

感染症についても同様です。環境破壊が進み、大量かつ短時間での人の移動が可能になった現代は、新しい感染症がいつ現れてもおかしくない。私たちは「疫間《えきかん》」を生きているのです。

「後＝アフター」ではなく「間＝ビトウィーン」、つまり「次の災害は来る」という視点に立つ時、必然的に「準備」という考え方が生じます。災害の場合、人類の力でなくすことはできませんが、備えることで「減災」は可能です。

一方、戦争や紛争は、災害とは違い、人間の意思で起こるため、私たちの努力でなくすことができる。そのために、軍縮や予防外交といった備えに尽力する姿勢が、人間の本筋の生き方といえるでしょう。

「戦争は周期的に発生する」＝「戦間」という発想に陥《おちい》らないように慎み、「戦争を二度と起こさない」＝「戦後」にしてみせるという希望を持ち続ける社会に転換できるかどうか。二十一世紀を生きる私たちの課題といえます。

いずれにしても「間」という視点を常に意識して、未来に向けて「準備」をする。そう考えると、コロナ禍を機に、例えば「国防」の考え方なども変わるのではないかと思います。

従来、国防とは、領土・国境、国の中枢を防衛する「国家の安全保障」が中心となってきましたが、それだけでは、災害や感染症に対峙《たいじ》することは難しい。私たちは、新型コロナの流行初期のマスク不足や、現在のワクチン接種などのように、国民の命や生活を守るために何が必要かを痛感したと思います。国民個人の人命を守る「国民の安全保障」が、これからの国防思想上の重要なポイントとなるでしょう。

スペイン風邪の教訓

――磯田教授は近著『感染症の日本史』等でも、歴史から今を生きる知恵を学ぶことの重要性を訴えられています。

災害や疫病は、個人の記憶の範囲を超えた周期で経験する場合が多いため、個々人の心の持ち様も含めて、その準備が簡単ではないという側面があります。今回のコロナ禍も、ほとんどの人にとって〝未知の事態〟だったため、さまざまな混乱が生じました。

正確な情報がゼロに等しい状況下で、対処法を選択するためには、過去の事例から類推するしかない。その時、長い時間軸をもって物事を捉える歴史学の視点が役に立つわけです。

今回のコロナ禍を考える上でも、二十世紀前半に発生したスペイン風邪の事例が〝参考例〟となりました。

私の学問の師匠であり、社会経済史の第一人者であった速水融先生は、晩年、先行研究がほとんどされていなかったスペイン風邪の調査を行い、『日本を襲ったスペイン・インフルエンザ』を著しました。

それによると、一九一八年から二〇年にかけて流行したスペイン風邪は、世界で約四〇〇〇万人以上もの命を奪ったとされます。日本では、三、四回の感染の波があり、約四五万人が亡くなりました。

スペイン風邪の時と現在の感染防止策を比較してみると、手洗いを除き、うがいの励行やマスク着用など多くの共通項を見いだせます。今、多くの国が外出禁止や都市封鎖を強制的に実施する中、日本は〝要請と自粛〟のみで感染拡大を防いでいますが、この傾向も、スペイン風邪の頃と変わっていません。

その背景として、日本特有の「ゾーニング（区分け）文化」が挙げられます。多くの日本人は、靴は玄関で脱ぎ、コートは入り口近くに掛けておくなど、「内と外」を峻別《しゅんべつ》して生活する習慣があります。こうした個人レベルにおける清潔意識の高さが、感染を抑制している面があるでしょう。

一方で、その意識の高さが、感染者や医療従事者への差別として働く場合もあります。スペイン風邪の頃から続く課題です。

「感染＝悪」とする異様な雰囲気が強まれば、感染の隠蔽《いんぺい》を促し、さらなる感染を助長する恐れもあります。まさに「百害あって一利なし」です。

また、世界中で猛威を振るったスペイン風邪ですが、不思議なことに、日本ではその後、人々に忘れ去られてしまいます。

スペイン風邪によって、日本の風景はさほど変わりませんでしたが、収束後の一九二三年に発生した関東大震災、さらにその後の第二次世界大戦によって、日本の風景は一変しました。そのインパクトがあまりに大きく、スペイン風邪は人々の記憶から消え去ってしまったのです。ゆえに、残念ながら、日本は感染症の教訓を十分に学ぶことができませんでした。そのこと自体が、一つの教訓といえます。

患者側から見た患者史の役割

――現在、私たちが体験している感染症の教訓を、後世へ伝え残すためにも、歴史学の果たす役割は大きいように感じます。

私は、歴史学者として、「誰から見た歴史なのか」を大切にしてきました。

一般に「歴史」と聞くと、政治史や外交史といった、為政者や権力者の歴史を連想しがちですが、私は、それらの記録から抜け落ちてきた「庶民」に光を当ててきました。

〝歴史は細部に宿《やど》る〟といわれますが、当時の一庶民が何を考え、どのような生活を送っていたかを探究する中で、その時代の普遍的な本質を見いだせる場合があるからです。

感染症の場合、単に医療だけの問題ではなく、当時の人々の感情や社会状況も関連します。そのため、感染症の教訓を学ぶには、医療史や疾病史に加えて、患者側から見た「患者史」が重要であると考えます。

コロナ禍になって以降、毎日、感染者数・死亡者数が報道されています。私たちは、どうしても数値ばかりに目がいきがちですが、その数字一つ一つには、多様なストーリーが含まれています。いつ・どこで感染したか、どのくらい症状が続いたか、どのような予防対策を行ったのか――そうした経験の蓄積には、後世に生かせる具体的な教訓が詰まっているのです。

最近になって、スペイン風邪の渦中を過ごした京都の女学生の日記が発見されました。そこには、感染症に対する不安や恐怖、身近な親族を亡くした悲しみなどが率直につづられています。パンデミックの実像を知る上で貴重な史料といえます。

また、志賀直哉の小説「流行感冒《かんぼう》」は、スペイン風邪にかかった自身の体験をもとに書かれています。作品中、志賀自身をモチーフにしたとされる主人公は、こっそりと芝居を見にいったお手伝いさんに対して〝自粛警察〟のような行動を取ってしまいます。その後、自らがスペイン風邪にかかり、以前の言動を反省し、物語は終わります。危機的状況であっても他者への配慮を失ってはいけないという思いが伝わってきます。

　このような個別具体的な「ミクロヒストリー」と、統計データなどから導き出される「マクロヒストリー」を組み合わせることで、感染症という事象を立体的に描き出すことができ、教訓として継承されていくのだと思います。

　特にSNSが普及した現代にあっては、個人の記録がアーカイブされやすい。誰もが感染症の脅威《きょうい》に立ち向かっているという意味では、私たち一人一人が患者史の〝担い手〟になり得るわけです。言い換えれば、コロナ禍の中での私たちの経験を生かしていくことが、そのまま未来の安全につながるということになります。

　パンデミックという人類史に残る期間をリアルタイムで経験しているからこそ、そうした一日一日を大切に生きていきたいと思います。

人類の意志と行動が試される「勝負の一〇年」

——感染症の流行を経験した社会は、今後、どのような変化を迎えるのでしょうか。

歴史をひもとくと、パンデミックの後の社会は、良い方向にも悪い方向にも振れる可能性があります。

十四世紀にまん延《えん》したペスト（黒死病）の後、ヨーロッパでルネサンスが興隆《こうりゅう》したという例もありますが、それだけで「感染症の後には、社会は良い方向に転換する」と簡単に結論づけるのは難しい。歴史は、さまざまな要素が複雑に絡《から》み合って形成されており、些《さ》細《さい》な出来事であっても、事態が大きく変わってしまう場合があるからです。

その象徴的な例が、スペイン風邪の世界的な大流行によって、終結が早まったとされる第一次世界大戦とその後の状況です。

講和会議の場で、戦勝国のイギリスやフランスは、自国の経済再建のため、敗戦国ドイツに対して莫大な賠償金を要求しました。対して、アメリカのウィルソン大統領は、世界平和のために敗戦国に過酷な賠償責任を課すべきではないと考えていました。

そんな中、ウィルソンがスペイン風邪に倒れてしまい、会議に参加できなくなります。この間、議論は大きく進んでしまい、結果的に、ドイツは多大な賠償金を負担することになりました。やがて経済危機に陥ったドイツでは、ヒトラー率いるナチスが勢力を伸ばし、ファシズム体制を樹立。他国への侵略を契機に、第二次世界大戦が勃発《ぼっぱつ》するわけです。

このように、パンデミック後の社会は、多くの死を経験していることもあり、人心が荒廃《こうはい》し、極端な方向に走りやすい。これからの世界は「危ない橋」を渡るような不確実性の高い状況、すなわち、良い方向にも悪い方向にも変わり得る「せめぎ合いの時代」が続くと予想されます。その意味でも、これからの一〇年は、人類の意志と行動が試される「勝負の一〇年」といっても過言ではありません。

尊敬心と共感性を根底にした社会へ

――社会や国家が極端な方向に走らず、コロナ禍を乗り越えるためには、何が必要でしょうか。

今回のコロナ禍で、今日のグローバル社会には「他人事」が存在しないということが分かったと思います。感染症の場合、一部の地域に、医療の空白が生じれば、その分、抑制が難航します。世界各国が、自国優先主義だけに傾《かたむ》かず、コロナ禍という共通の課題に対して連帯できるかどうかが、パンデミックを克服する上での鍵になります。

それと人間は価値観が揺らぐと、どうしても極端な考えに傾く。集団の運用や指導も荒くなり、丁寧な説明や対話を省《はぶ》いて、物事を強引に進めようとします。そこに陥らず、バランスを保って進むためには、平和と人権に対する「尊敬心」と、他者を思いやる「共感性」が社会の根底にあることが求められます。

共感といっても、自分に近いものだけが愛しいというのであれば、どんどん利己的になり、社会は弱肉強食に傾いてしまいます。ここでいう共感とは、遠くにいる他者であっても思いをはせる想像力、仏教でいうところの「慈悲《じひ》」、儒教の「仁愛《じんあい》」の思想に近いでしょうか。

とはいえ、現代の私たちが互いに共感性を示し合うことは簡単ではないかもしれない。だからこそ、「こんなことをしたら、あの人がかわいそう」という相手の側に立つ思いを持つことを互いに目指したい。そして、人間にとって快適な幸せは、どのような条件で成り立つのかという視点で、現実的・合理的な対処を粘り強く続ける。このバランスが大切ではないでしょうか。

戦後史を概観すると、課題は山積するものの、戦争自体は徐々に減ってきました。人類はぶれながらも、世界平和を目指して漸進《ぜんしん》してきたとも捉えられます。全面的に安心することはできませんが、私は、人類の賢明な選択を信じたいと思います。

2021年4月17日付掲載

「小さな幸福」に留まらず、「大きな希望」育む社会へ

世界を知らずに、世界は変えられない——この一貫した姿勢で、世界と日本を捉えてきた寺島氏。コロナ禍で浮き彫りになった課題や未来への展望を巡り、インタビューした。

寺島実郎

一般財団法人日本総合研究所会長

てらしま・じつろう　一九四七年、北海道生まれ。早稲田大学大学院政治学研究科修士課程修了。三井物産入社後、ワシントン事務所長、常務執行役員、三井物産戦略研究所所長などを歴任して現在、一般財団法人日本総合研究所会長、多摩大学学長。著書に『日本再生の基軸　平成の晩鐘と令和の本質的課題』『シルバー・デモクラシー』『ジェロントロジー宣言』等がある。TBS系列「サンデーモーニング」、TOKYO MX「寺島実郎の世界を知る力」などメディア出演多数。

ＧＤＰの推移

――近著『日本再生の基軸』やTOKYO MXをはじめとするメディア出演を通して、世界における日本を展望してこられました。コロナ禍をどう見ていますか。

私は社会科学の世界で生きてきた人間ですから、まずは日本経済をＧＤＰ（国内総生産）という視点で捉えると、日本がどれだけ〝埋没《まいぼつ》〟しているかが分かります。

日本のＧＤＰの世界におけるシェアは、平成が始まる前年の一九八八年には一六パーセントでした。日本を除くアジアは、中国やインド、ＡＳＥＡＮ（東南アジア諸国連合）などを合わせても六パーセントですから、日本はアジアの中で断トツの経済国家として、平成の時代を迎えたわけです。

二〇〇〇年になっても、日本のＧＤＰは世界の一四パーセントを占め、その他のアジアは七パーセントでした。それが二〇一〇年には、日本が七パーセントまで急速に落ち込み、その他のアジアが一七パーセントです。この年は、中国が単独で日本を追い抜いた年でもあります。

そして、コロナ禍の中の二〇二〇年のGDPは、日本のシェアが六パーセント、日本を除くアジアは二五パーセントです。今後、コロナ禍のトンネルを抜けているであろう二〇三〇年には、日本のシェアは四パーセント台に落ち込んでいるというのが、私の見立てです。「アジアの世紀」といわれる時代が確実に近づく中で、日本は明らかに存在感を失っているといえます。

尺度としてのGDPの正当性を問う声もあるでしょうが、GDPは付加価値の総和です。日本国民が額《ひたい》に汗して、知恵を出しながら経済産業活動を展開し、創出した価値の大きさが、世界の中でこれほど〝埋没〟していると捉えることは重要と考えます。この現実を多くの人が自覚できていないことに対して、「健全な危機感」を持つべきであると私は思います。

――〝健全な〟危機感とは、悲壮感や諦めではなく、現実を直視しつつ、どうすれば打開できるかを模索する前向きさを生むものではないでしょうか。

日本が置かれた状況に対して、多くの人が危機感を抱いていないのは、急速な復興と成長を遂げた戦後日本の残影を、今も引きずっているからです。産業力で外貨を稼ぎ、国を豊かにするという「工業生産力モデル」が、まだ機能しているとの重大な錯覚《さっかく》の中にいます。株価の上昇などで、〝日本はうまくいっている〟との感覚を、日本人が抱いていた側面もあります。

しかし、世界の有識者らと議論をする中でも、日本の〝埋没〟は、すでに常識になりつつあります。まずはその事実に対する認識を、これからの議論の基盤に据えていくことが「健全な危機感」であると考えます。その上で、ＧＤＰを押し上げることはもちろんですが、それに限らず、世界の中で存在感を放ち、重要な役割を果たしうるために、どうすればよいのか。

コロナ禍は、日本がすでに抱え込んでいた問題を、目に見える危機としてあぶり出しているといえるでしょう。


――これからの世界を、どのような視点で捉えるべきでしょうか。


前提として、二つの時代認識を持つことが重要であると考えます。

第一に、現代は、二極化という構図の中で論じられやすい時代であること。そして第二に、日本は「宗教なき時代」を生きているという認識です。

「二極化」を象徴するのが、西洋文明を代表するアメリカと、東洋文明の中核である中国との分断です。〝米中新冷戦の時代〟とまで言われる緊張高まる現代にあって、日本には、その二項対立に引き込まれない「第三の道」を模索する役割が求められます。

次に「宗教なき時代」は今に始まったのではなく、戦後日本にあって、宗教の受け止められ方は希薄《きはく》であり続けました。もちろん、日本人に全く宗教心がないわけではなく、神社にお参りに行く、易《えき》や占《うらな》いを信じるといった行動をとる人は一定数いますが、「心の基軸」として宗教を持つ人が少ないのが、長年の特徴です。

あえて言うならば、戦後日本人の心の基軸となったのは、松下電器の創業者・松下幸之助さんが提起した「ＰＨＰの思想」だったと思います。

「Peace and Happiness through Prosperity（豊かさを通じた幸福と平和）」という言葉は、繁栄すなわち経済成長が、幸福と平和をもたらすという、ある種の〝希望〟を国民に与えるものでした。しかし今、豊かになれば幸福と平和が訪れるという方程式は、もはや成り立ちません。加えて「宗教なき時代」です。このままでは日本は、ＧＤＰ上だけではなく、心まで埋没してしまう――そう強い危機感を抱いています。

仏教の〝柔らかな多様性〟が分断を超え「第三の道」開く

――日本再生の基軸の一つとして、仏教に着目されています。

二項対立に分断されないよう視界を広げ、強い意志を持って「第三の道」を切り開くカギとなるのが、仏教に見られる、人間の苦悩や葛藤に迫りながら、深い精神性を追求する姿勢であると考えるからです。

仏教の特徴は〝柔らかな多様性〟であると思いますが、それを理解する上で大切なのが「加《か》上《じょう》」――一つの思想は進化を重ねて、後の世になるほど加えられていくという考え方です。

例えば、釈迦が説いた仏教は、その弟子や後進の求道者によって、多様な解釈と思索が加えられました。そうして発展を遂げた大乗仏教が、日本をはじめ世界に広く受け入れられてきました。全てを固定化するのではなく、深化させ、さらには弟子が師匠をも超えていく。それが仏教の深みであると理解しています。

その中でも、日蓮の時代と生き方を知ることは、現代にも有益だと思います。当時、年表に「飢饉《ききん》」「疫病《えきびょう》」「強訴《ごうそ》」「群盗《ぐんとう》」等の言葉が目につくほどに国は荒れ、さらには蒙古の襲来が日本に迫っていました。

庶民の間に広まっていた仏教諸派は、鎮護《ちんご》国家（災難を鎮め国家を護ること）の思想でしたが、その内実は絶対的な存在に救済を求める〝他力本願〟であったわけです。それはそれで、〝信じればいいことがある〟といった原始的な仏教思想のパラダイム（規範）を、庶民のためへと転換した意義はあります。

しかし日蓮は、さらなるパラダイムの転換を図ったわけです。日蓮は、日本の危機は「国難」であると受け止め、法華経への帰依を訴えました。

法華経では、人間の外に人智を超越した存在を置くのではなく、自己の内に仏を見ます。そして日蓮は、鎌倉幕府に対して「立正安国」の重要性を主張していきました。仏教が国や政治に挑むなど、それまではあり得なかった状況の中で、日本の危機を語らずにはいられなかった、「法華経の行者」としての日蓮の深い自覚が感じられます。

世の中を変えなければ、人間の幸福もないといった志向は、創価学会にも受け継がれています。日本が世界の二極分断に吸い込まれかねない状況の中、創価学会には、柔らかくとも強靭《きょうじん》な多様性を持って、「第三の道」を切り開いていくことを期待します。

二項対立へと誘惑するポピュリズムや国家主義が台頭する現代にあって、これまで日本人が丁寧に培《つちか》ってきた民主主義を、持ちこたえさせる精神的役割を担っていただきたい。

全体知への接近

――コロナ禍では、感染者数の推移といった部分的な数値ばかりが目に入りやすい現実があります。そうした「専門知」に対して、「全体知」を持つことの大切さを訴えられています。

物事を一部の視点からしか捉えない「専門知」に埋没してもいけないし、それらを合わせた「総合知」に満足してもいけない。物事の全体像を見渡し、その本質を捉える「全体知」への接近を訴えています。

全体知を理解するには、仏教の「空《くう》」の概念が分かりやすいと思います。「空」は「無」とは違います。むしろ、「空」は「ゼロ」に近いものです。インドにおけるゼロの発見が、近代科学の原点となっており、ゼロは無限大につながる概念です。

同じように、あらゆる事物・事象を突き詰めると、その本質は、固定的な実体は存在しない「空」であるとの真理が、般若経典《はんにゃきょうてん》などに説かれています。つまり「空」も、無限の広がりを持っているといえます。

私が言う「全体知」もまた、ある一点から立体的、多面的に物事の本質を見極めるような完全なる英知を指します。コロナ禍で求められているのは、この全体知に立った構想力であると思います。戦後日本の成功体験を引きずり、〝何となくうまくいっている〟と錯覚し続けてきた結果、日本人には、目先の価値や損得を求めるのが当たり前になってしまいました。

「イマ・ココ・ワタシ」だけに関心を持ち、クーポンやポイントを集めてばかりいるような、自分だけの〝小さな幸福〟に沈潜《ちんせん》しているのではないでしょうか。もっと広い視界から世界と日本を展望し、どうすれば人々に大きな希望と方向性を与えていけるのかを、議論すべきでしょう。

「創価学会の社会学」ともいえる現象

――未来への希望を育む上で、宗教が果たすべき役割は何でしょうか。

未来を構想する上で基盤となるのは、「イマ・ココ・ワタシ」という価値を超越する精神性です。そこに教育を通した人材育成の要点がありますし、広い意味で宗教が果たす役割があると思っています。

戦後に経済至上主義が吹き荒れる中、創価学会は、競争にさらされる人々に希望を送りました。社会の中で困難を極める人たちも、信仰に生き、努力することで、人生が開けるのを経験した。それは「創価学会の社会学」ともいえる現象でした。そうした希望があったから、創価学会は今日まで、大きな組織として生き続けてきたのでしょう。

今、これだけ時代が変わり、目に見えにくい貧困や差別、格差といった課題が生まれているからこそ、社会が抱える問題に向き合い、解決していくような、エネルギーに満ちた宗教が求められます。経済的価値の限界が露呈し、何を心のよりどころとしていいか分からない今日にあって、豊かな精神文化を支えるのが宗教です。創価学会に期待するのも、この点です。

そして目先の状況に流されず、耐えながら、二項対立に陥らない強い姿勢は、仏教の「中道」（注＝相対立する両極端のどちらにも執着せず偏らない見識・行動）の生き方に通じます。この生き方を確立するのは容易ではありません。

だからこそ、立体的、多面的な視点から物事の本質を見極める全体知に立ったリーダーの存在が求められます。どんなに有能な野球選手でも、やはり監督がいるダッグアウトを振り返るものです。監督がどういう表情をして、どういう言葉を発するか。それが事態を動かしていくことは多くあります。

そうした真のリーダーシップを発揮できる人を待望しつつ、私たち一人一人ができる行動を起こして、自分の周囲を踏み固めていくことが大切です。

2020年8月19日付掲載

歴史の視点で見るコロナ禍
「エゴ」や「敵意」の克服が鍵

私たちは過去の歴史から何を学び、どう現在に生かし、いかに未来への希望のビジョンを描いていくべきか――。歴史小説家で直木賞作家の安部氏にインタビュー。

安部龍太郎

作家・歴史小説家

あべ・りゅうたろう　一九五五年、福岡県八女市（旧・黒木町）生まれ。久留米工業高専卒。東京都大田区役所に就職し、後に図書館司書として働きながら小説を執筆。九〇年に『血の日本史』で作家デビュー。二〇〇五年に『天馬、翔ける』で中山義秀文学賞、一三年に『等伯』で直木賞を受賞。『関ケ原連判状』『信長燃ゆ』など著書多数。現在、徳川家康の大河小説を連載中。二〇年、京都府文化賞（功労賞）を受賞。

――今回のコロナ禍による危機について、どのように捉えていますか。

新型コロナウイルスの発生源は正確に分かっていないものの、エボラウイルスと同様、コウモリが起源ではないかとされています。

人類を脅《おびや》かすウイルスの多くは、もともと自然の中で静かに存在し、野生動物などと共存していました。それを、人間が活動領域を広げるために自然を破壊し、野生動物を食用化したことなどを通して、人に感染するようになったといわれます。いわば、ウイルスと共存していた「自然の領域」に、人間が踏み込んだことによって、自ら感染症を引き起こしたのです。

こうした背景には何があるのか。私は、人間の〝自分さえよければいい〟という「エゴイズム（利己主義）」が招いた結果だと考えています。

エゴは、自然や他者、揚げ句は未来からの「収奪」をもたらします。今の生活の豊かさを追求するあまり、地球の資源を搾取《さくしゅ》し、子や孫の代にまで負担を押し付ける環境破壊は、自然や未来からの収奪の最たる例でしょう。また人類は、他者からの収奪のために、醜《みにく》い争いを繰り返してきました。その根底には他者に抱く「敵意」があります。

人類の最大の弱点は、こうした「エゴ」や「敵意」といった感情を制御できないことにあると、私は長年、主張してきました。だから有史以来、戦争や紛争が絶えず、ついには核兵器の開発・使用にまで行き着いてしまったわけです。こうした感情を克服できなければ、人間自身が滅亡の危機を迎える。

人類がエゴと敵意を克服しなければ、グローバルな時代の感染症は乗り越えられない――今回のコロナ禍は、そういった本質的な課題を突き付けているのではないでしょうか。

既存の価値観を脱し
より幸福な生き方を

――国内ではどんな課題が現れているでしょうか。

一つは、政治・経済・社会の問題が明るみに出たことです。インバウンド（訪日外国人客）や国際的なサプライチェーン（部品の調達・供給網）など、政府も企業も、グローバル経済に頼り過ぎた成長戦略が行き詰まっています。

また歴史的に見れば、明治維新以降の富国強兵、戦後の高度経済成長を実現させるために、一貫して中央集権型の国家体制を強化してきた結果、大都市への人口の一極集中と過密状況が進みました。一方で、地方の過疎化や農林水産業等の衰退が深刻化し、地方消滅とまでいわれています。

その中で近年、必要性が叫ばれながら遅々として進まない「食料自給率の向上」や「地方分権の推進」といった課題に、コロナ禍の今、改めて目を向けざるを得なくなりました。

もう一つは、よって立つ思想・哲学・信仰の脆弱《ぜいじゃく》性が露呈したことです。平穏だった日常がかくも簡単に崩れ、社会のリーダーから市民に至るまで、多くの人が右往左往していると感じます。とりわけ今まで、幸せな人生を目指して掲げてきた「生きる目標」が揺らぎ、競争に勝ち抜き、物質的な充足を得ることだけでは、本当の幸福はつかめないことに、人々は気付いたのではないでしょうか。

ただ歴史を振り返れば、「危機の時代」は決して悲観的な側面ばかりではありません。むしろ、既存の価値観を脱し、社会の変化に応じた、より幸福な生き方を築いていく変革のチャンスでもあります。今こそ先人たちの歴史に学び、現代に生きる知恵をくみ上げていくことが求められます。

――時代の転換点を生きていく上で、教訓として生かしていける歴史の場面はありますでしょうか。

私は、織田信長、豊臣秀吉らが生きた戦国時代を中心に小説等を書いてきましたが、現在は、そこから江戸時代を切り開いた徳川家康に力を注いでいます。時代の転換点という意味では、江戸・幕藩体制の構築に至るまでの過程は大きなものだったのです。

戦国時代、日本は西洋文明と出あい、南蛮貿易の恩恵を受け、経済成長期を迎えました。この時、守護領国制が崩壊し、強力かつ一元的に地域を支配する信長などの戦国大名が台頭し、覇権を争います。「エゴ」と「敵意」がむき出しの時代といえます。

信長の遺志を継いだ秀吉も、中央集権・重商主義の政策を強力に推進しました。しかし明国征服を企て、二度の朝鮮半島出兵を行うも失敗。秀吉亡き後の疲弊した日本の復興や再建を、どう進めるのか。そこで、重商主義の利益享受者である西日本の大名と、農本主義を主流とする東日本の大名が「関ケ原の戦い」で激突します。天下分け目の決戦は、日本はどういう国になるべきかという方向性を決める「国家路線の選択をかけた戦い」だったわけです。

家康は西軍に勝利。かつて関東移封後、地方分権・農本主義を軸に統治に成功した自らの体験をモデルとして、江戸幕府を開きました。そして、世界史でもまれといわれる、二六〇年以上に及ぶ天下太平の世の基盤を築きます。

もちろん、家康のモデルを、そのまま現代に当てはめることは難しいかもしれません。しかし、コロナ禍によって、グローバル経済や大都市への一極集中のリスクが顕在化し、地方では限界集落といった状況が進む昨今、家康の時代の知見から学べることはあると感じます。

特にＡＩ（人工知能）やビッグデータが活用される近年は、全国の中核都市等を軸に、地域ごとに経済や暮らしを充実させていくコンパクトシティ構想なども検討されています。感染症と共に生きる時代を見据え、過度なグローバル経済への依存や大都市一極集中から方向転換する道を開くことが必要だと思います。

多様なリスクを抱える時こそ民衆に根差した羅針盤が必要

――「危機の時代」を生きていくために、思想・宗教はどのような役割を果たし得るでしょうか。

八世紀前半の奈良時代には天然痘《てんねんとう》が猛威を振るいました。諸説ありますが、朝鮮半島の新羅《しらぎ》などに赴いた日本の使者が、帰国後、国内にウイルスを持ち込んだとされ、国政を握っていた藤原氏四兄弟は全員、疫病で死去。ある研究では、当時の日本の総人口の約三割が死亡したと推計されています。

国政の中心を担った聖武《しょうむ》天皇は、混乱した世の中を治めるために仏教への帰依《きえ》を一層深め、日本各地に国分寺・国分尼寺《にじ》の建立を命じ、その中心である東大寺には、総力を結集して大仏造立を推進。そうして庶民の間に仏教思想を広め、鎮護国家の構築を目指したとされます。

私は仏教思想の一つの特徴は、執着を離れるところにあると考えています。未知の感染症に直面した時、〝自分さえよければいい〟というエゴへの執着をいかに克服するか。そこに、慈悲・寛容の精神が脈打つ仏教思想が支えとなったのではないか。また、仏教的な作法ともいえる距離を取った礼節などの習慣が、長い年月をかけて今日、世界的に見ても感染症予防に適しているといわれる日本人の生活様式を作り上げる基礎になったのではないかと、私は見ています。

さらに日蓮の「立正安国論」にも記されているように、鎌倉時代にも疫病や自然災害、飢饉等が集中した危機の時代がありました。仏教の視点から見れば、当時は釈迦の教えが効力を失う末法《まっぽう》に入ったとされ、「何を信じて生きるべきか」と人々は迷い、不安定な状況が続いていました。

その中で、蔓延《まんえん》する厭世《えんせい》思想を改め、民衆に根差した希望の羅針盤を示した一人が日蓮ではないでしょうか。中でも、人間の内面にある無限の可能性に光を当て、一人一人の精神的自立を後押しする信仰の確立を促した点は注目に値します。

日蓮が繰り返し訴えた、法華経に登場する不軽菩薩の万人を尊敬する生き方こそ、エゴや敵意を制御し、自利と利他を一致させていく思想だからです。

今日の地球的な気候変動による自然災害、未知の感染症のパンデミック（世界的大流行）、分断と対立の社会状況など、多様なリスクを抱える時代にあって、自分自身が責任をもって賢明に判断しなくてはならない局面は増していくでしょう。その意味からも、一人一人がよって立つ、正しい思想や信仰が大切になるでしょう。

先行きが見えないならば
過去から学び史観を磨け

――安部さんは、佐藤優氏との対談書『対決！　日本史――戦国から鎖国篇』（小社刊）の中で、歴史を

学ぶ上での視点を語っています。

私は、「歴史的教養」を身に付けるために重要なのは、①歴史についての情報量②歴史と対峙した経験③そこから生まれる発想力――の三本柱だと考えています。

日本の歴史教育は、知識の詰め込みといわれるように、教えられた史実を情報として単に暗記するにとどまっていると思います。

また日本史と世界史を二つに分け、選択して学ばせるような教育では、グローバルな思考ができる人材は育ちにくいのです。

私が特に重要だと考えるのは「歴史と対峙した経験」です。歴史上の人物が「なぜそういう行動をとったのか」「それが周りにどんな影響をもたらしたのか」ということを思索し、探求するということです。「温故知新」という言葉がある通り、先人の生き様の集積ともいえる歴史を学び、対峙することで、現代をより良く生きる「発想力」「知恵」が生まれます。

未知の感染症をはじめ、先行きが見えない危機の時代に立ち向かっていく今、私たちはまさに、過去の歴史と対峙する好機を迎えています。

いつの時代も、歴史から真摯《しんし》に学び、しっかりとした歴史観をもっていなければ、デマやフェイクニュース、さらには権力者のウソに、簡単にだまされてしまいます。揺るぎない自分を築くためにも、一人一人が「歴史的教養」を磨いていきたいものです。

2020年6月11日付掲載

コロナ禍の国際社会で求められる「利他の精神」

新型コロナウイルスの世界的流行は、国際社会にどのような影響を与えるのか——。国際関係論を専門とする酒井教授に、今後の世界情勢などについて語ってもらった。

酒井吉廣

中部大学教授

さかい・よしひろ　一九八五年、日本銀行に入行。その後、米国野村証券シニア・エグゼクティブ・アドバイザーを経て日本政策投資銀行シニアエコノミストに。この間、二〇〇〇年より米国AEI（アメリカン・エンタープライズ研究所）研究員、〇二年よりCSIS（米国ワシントン戦略国際問題研究所）非常勤研究員、一二年より中国・清華大学高級研究員を兼務。一七年より現職。専門分野はゲーム理論、国際関係論。

国家間の「協調」目指して

――新型コロナウイルスの感染拡大によって、今後の国際社会は、どのような方向に向かうと思われますか。

周知の通り、感染症を防ぐには人と一定の距離を置かなければいけません。もちろん国と国との交流も減少せざるを得ない。ヒト・モノ・カネ・情報のグローバルな移動を前提とした、現在の経済システムにとって、この事態は大きな痛手です。巨額の経済的損失は免《まぬか》れません。

また、この状況下では、各国の政策で最優先に求められるのは、自国民の生活を守ることです。現在、程度の差こそあれ、多くの国が感染防止や経済補償のために財政出動を行っています。これにより、どの国も多くの負債を抱えることになるでしょう。

先月（二〇二〇年五月）、国連の経済社会局は、本年の世界の経済成長率は前年と比べてマイナス三・二パーセントとなり、一九二九年からの世界恐慌以来の景気後退になるとの予測を発表しました。ポスト・コロナ社会における最重要課題の一つは、この大幅な景気後退からの復興です。

アメリカや中国など、経済規模の大きな国は、自国の経済活動だけで乗り越えられるかもしれません。しかし、経済規模の小さな国は、他国の援助がなければ破綻《はたん》する恐れがあります。

今日のグローバル社会にあっては、さまざまな国が経済的・文化的に複雑に絡み合っているため、それぞれの国が影響を及ぼし合っている状態です。二〇〇七年にアメリカで起きたサブプライムローン問題が、瞬く間に世界金融危機へと発展したように、ある国で不況が起これば、多くの国がその煽《あお》りを受けてしまいます。そうならないためにも、国家間の連帯が不可欠です。そこで、アメリカや中国、ＥＵや日本などが、リーダーシップを取ることが求められるでしょう。

――国際社会が協調路線に向かうため、必要な視点は何ですか。

それぞれの国が、自国だけでなく、他国の利益にも心を配る「利他の精神」を持つことが重要だと考えています。

国同士が密接に関わり合う今日の国際社会では、他国との協調なくして、自国の利益を得ることは難しい。今回の新型コロナウイルスの感染対策についても、たとえ自国での感染を抑えられたとしても、他国での感染が抑えられない限り、再び自国で感染が流行するリスクは決してなくなりません。そういった意味では、今回のコロナ危機は、グローバル社会の〝負の側面〟ともいえます。

そうした中にあって、自国の利益のみを追求する国が増えれば、世界全体の損失につながりかねません。自国の利益を守るためにも、他国の利益をどう守るか——この「利他」という視点は、今後の国際社会にとって必要不可欠なのです。

〝庶民ファースト〟の視点

——コロナ危機から国民を守るため、各国の政府に求められるものは何ですか。

国民の健康・生活を第一に考えられるかどうか——端的に言えば〝庶民ファースト〟の政策が大切になってきます。そうした視点に立脚するためには、さまざまな困難を抱える他者への配慮は欠かせません。ここでも、利他の精神がポイントになってくるでしょう。

十四世紀半ば、ヨーロッパでは〝黒死病〟が猛威を振るい、多くの死者を出しました。その中にあって、蔓延を回避した都市がありました。その代表例が、イタリアのミラノと、ドイツのニュルンベルクです。

ミラノでは、為政者であるヴィスコンティー家が主導して、都市への人の出入りを厳しく制限しました。現代でいう「ロック・ダウン」(都市封鎖)です。またニュルンベルクでは、公衆衛生に関する意識が非常に高かった。例えば、公衆浴場の清潔度を測定する検査が定期的に行われ、ゴミ回収のシステムが整えられていたため、病原菌がはびこる機会を抑制できました。この二つの都市に共通するのは、経済利益よりも市民の命を第一に考えていた、つまり〝庶民ファースト〟の政策が取れていたということです。歴史の教訓として、現在にも通じる話だと思います。

――各国の対応を見ると、イギリスでは休業補償が、アメリカでは現金給付が実施されるなど、巨額の財政出動を伴う対策が取られています。

〝庶民ファースト〟の観点から、これらの政策は有効だと考えています。

日本においても、四月に「一律一〇万円給付」の実施が決定しました。これも、同じく理にかなった政策といえます。特に所得制限などを設けず一律給付とした点については、社会に〝分断線〟をつくらないという意味で適切な判断だったと思います。実現に尽力した公明党の功績は大きいでしょう。

また成立のプロセスにも注目してほしいです。日本では、官僚主導で政策が立案されるケースが多い。その中で、今回のように国民の要望が政策を変えるという形に結実すること自体、非常に珍しく、政治史的にみても、意義のあるものだと思います。

近年、利他性を重視する動きは、アメリカの産業界でもみられます。昨年（二〇一九年）八月、アメリカの大手企業の経営者団体「ビジネス・ラウンドテーブル」は、これまでの株主至上主義を見直し、従業員や顧客、地域社会を含む、全ての利害関係者の利益を重視するといった方針を発表しました。今後も、こうした取り組みが増えていってほしいと思います。

――社会の中で、利他の精神を広げるため、宗教にはどのような役割があると考えますか。

行政や企業だけでなく、私たち一人一人が「利他」の視点を持つことが必要になってきます。

とはいえ〝利他の精神が大切〟と頭で理解していても、いきなり実践に移すことは難しいでしょう。

そこで大切になってくるのが、宗教の存在ではないでしょうか。宗教には、利他の精神や生き方を説くものが多く、日頃の活動において、そうした教義を学び、実践する機会があるからです。

歴史を振り返ると、疫病の流行は、人々の死生観・宗教観に大きな影響を与えてきました。十四世紀半ばの〝黒死病〟の流行は、十六世紀の宗教改革の一因になったとされています。多くの死を目の当たりにした当時の人々が、〝人生の意味とは〟〝正しい信仰とは〟と思索したことでしょう。

新型コロナが流行する現代にあっても、同様のことが言えると思います。未知のウイルスに対して、世界中の人々が不安を抱き、確かな人生の指針を求めている状況だからこそ、宗教に求められるものは多いはずです。それぞれの地域で、さまざまな宗教が手を取り合って、利他の精神を広めていってほしいと思います。

SGIの国際的連帯に期待

――ウイルス感染という世界的危機が起こる今、「シンク・グローバリー、アクト・ローカリー」(地球規模で考え、地域で行動する)の精神が、私たち一人一人に求められているといえます。そうした視点を持つために何が必要ですか。

国際関係論には、「グローバル・コモンズ」(国際的な公共財)という概念があります。空気や水、太陽、気候などは、国家の枠組みを超えて人類全体が共有している資産とする考え方です。グローバル社会の今、環境問題や感染症対策、経済対策などについても「公共性」が求められています。しかし現在、世界各地で自国優先主義の動きが勢いを増しており、公共性の精神に立脚できていないのが現状です。

冷戦が終結してからの約三〇年間、ヒト・モノ・カネなどの物質面でのグローバル化はものすごいスピードで進展しました。その一方で、人々の精神面の部分がグローバル化に追い付いていない。言い換えれば、「シンク・グローバリー」の部分が欠けているのが、今の国際社会ではないでしょうか。

私たち一人一人が、本当の意味で「シンク・グローバリー」の精神を体得するためには、〝自分さえ良ければ〟という考えから脱却し、利他の精神に裏打ちされた「他者への想像力」が必要となってきます。今、アメリカでの黒人差別をはじめ、人種や民族への偏見や抑圧が問題となっています。「分断」から「協調」への流れをつくるためにも、自分とは異なる他者との「共生の哲学」が求められています。

そういった意味で、私は、ＳＧＩ（創価学会インタナショナル）の世界的な連帯が果たす役割は大きいと考えています。ＳＧＩのように、国境や民族の垣根を越えて、同じ信仰を持つ仲間がいること、また実際にそういったメンバーと交流する機会があることは、「他者への想像力」を育む上でとてもプラスになるからです。

私がアメリカにいた時、日常生活の中でＳＧＩメンバーと触れ合う機会が何度かありました。彼らには共通して、心に〝ゆとり〟があるように感じました。信仰という心のよりどころがあるからこそ、自分の悩みだけに汲々とせず、他者に思いをめぐらすことができるのだと思います。

今後も、ＳＧＩの連帯が、草の根レベルで広がっていくことを期待しています。

「SNS時代」に求められる、あいまいな状況に耐える力

コロナ禍で、SNSの利用時間が増えた人が多くいると指摘される。途切れなく流れてくる膨大な量の情報に、どう向き合うべきか。メディア史を専門とする佐藤教授に聞いた。

佐藤卓己

京都大学大学院教授

さとう・たくみ
一九六〇年、広島県生まれ。京都大学大学院教授。博士（文学）。専門はメディア史。同志社大学助教授、国際日本文化研究センター助教授などを経て二〇一五年から現職。『「キング」の時代』でサントリー学芸賞、『ファシスト的公共性』で毎日出版文化賞を受賞。ほかにも『流言のメディア史』『メディア論の名著30』など著書多数。二〇二〇年に、メディア史研究者として初となる紫綬褒章を受章した。

遅延化する利益

――SNSは今、新聞やテレビと並び、日常に欠かせない情報収集手段です。こうした「SNS時代」に、私たちが身に付けるべきリテラシー（情報を読み解く力）とは何でしょうか。

新聞や雑誌、テレビなどが中心だったこれまでの「マスコミ時代」は、情報の「受け手」と「送り手」が明確に分かれていた時代です。送り手の役割を担うマスコミからの情報は、「正しいか間違っているか」が決定的に重要でした。

例えば新聞では、取材で得た情報や意見が記事になる過程で、複数人の目を通ります。情報の「裏付けがあるのか」「表現は適切か」といったチェックが入ることで、発信される情報にはある程度の〝品質〟が保たれてきました。

一方の「SNS時代」では、誰もが受け手にも、送り手にもなることができます。これが意味するのは、情報をチェックする「ゲートキーパー（門番）」がいないということです。

個人が直接、思い付いたことを、つぶやくように、〝情報〟として発信します。それは他人の目を経ていないので、そもそも信頼度は低いわけです。

しかし元来、ＳＮＳは人と人とが〝つながる〟ことに価値を置く「接続依存型のコミュニケーション」ですから、情報が真実であるかどうかは重視されません。コミュニケーション（つながっていること）それ自体に満足をするので、内容が矛盾していたり、意味をなしていなかったりしても、当事者は心地良ければ、それでいいのです。

つまり、ＳＮＳの情報は「あいまい」であることをまず認識することが大切です。また、ＳＮＳに限らず、デマや流言は社会にあふれているという現実を受け止めることです。それらが一つもない社会とは、言論統制された社会ですから。

今、特にＳＮＳには真偽不明な情報があふれている中で、それらを「正しく」読み取ろうとするのは不可能なことです。では可能なことは何かというと、そうしたあいまいな情報の中で「拙速に判断をしない」ことであり、「その状況に耐える」ことです。真実か、正解かを、ぎりぎりまで決断しないといった「耐える力」が、現代に求められるリテラシーの本質であるといえます。

人間は、未知の事柄に直面すると、早く理解し、安心したいという欲求に駆られます。でも私たちは、耐えることや待つことで、得るものがあることも知っています。「即時的な快楽」

に対する、「遅延化する利益」のことです。

教育を例に挙げると、漢字の書き取りや計算演習は、おおむね面白くはありませんが、やり続けることで効果が表れます。遅延化することで利益があると分かっているから、教育は成り立っているのです。同様に「あいまい情報」に対しても、遅延的な効果を信じることが大切です。即断しようとする欲求に耐え続けることで、やがて誤った情報は淘汰され、自分自身の考えもまとまっていきます。

「耐える」というのは本来、将来への見通しが明るいからこそできるのですが、近年の社会は必ずしもそうではなく、コロナ禍で不安も増しています。だからこそ早く判断して、手にした情報を使い切ろうとする「即時的な快楽」に流されてしまう傾向があるといえます。

――「耐える力」を養うために、心掛けるべき点は何でしょうか。

私の専門であるメディア史では、ジャーナリズム論が扱う「情報の真偽」ではなく、「情報の効果」を研究します。情報の真偽を見極めることは個人には至難ですが、情報の「効果」を知ることで発信者の意図がくみ取れます。この視点が、ＳＮＳ時代の情報を読み取り、利用する上で役立つと思います。

私はもともとドイツ現代史を専攻し、特にナチス・ドイツの「プロパガンダ」に興味を持って研究しました。プロパガンダというと、ネガティブな印象を持つかもしれませんが、かつてはカトリック教会で「布教」や「宣教」の意味で使われた言葉です。広く捉えれば「説得」、あるいは商業的にいえば「広告」になります。

このプロパガンダの視点から見えてくる枠組みがあります。プロパガンダの目的は「合意を形成する」「支持を得る」ことであり、もちろん、正しい情報を基にしたほうが効果はありますが、正しいかどうかはあくまで二次的で、一番大切なのは効果を「最大化する」ことです。

効果を最大化するには、説得力が必要です。この説得という行為には、自分と違う考えを持つ「他者」が、常に念頭にあるのです。同じ考えの人は、説得する必要はないですから。

他者がいることを、コミュニケーションの中でどこまで意識できるかに、「あいまい情報」に耐えるカギがあります。

自分の好きな情報だけを集めてくるのは簡単ですが、他者と会話し、合意を取り付けようと考え、説得できるだけの情報を集めるのは大変です。しかし、時間をかけて情報と向き合うことになるので、おのずと「遅延化された効果」も表れます。

つまり、〝他者を説得する自分〟を思い描いて、情報を発信していくことが重要です。良き「プロパガンディスト」「宣伝者」とは本来、そうなのです。反対する人をどう巻き込み、自分が理想とする未来をつくりあげるかを、絶えず考えていたわけです。

ＳＮＳ時代では、「他者」を想定しない言説が多いと感じます。どれだけ早く、多くの人に情報を拡散できるかばかりを思考しているようです。また、ＳＮＳは「エコーチェンバー」といわれるように、自分と似た意見だけが集まるシステムになっているため、余計に他者が見えにくい。互いに「いいね」と認め合っているだけでは、まさしく「他者不在」の状態になりかねません。

世論《せろん》と輿論《よろん》の違い

――誰もが情報の送り手になりうる時代だからこそ、他者を想定し、〝説得〟できるくらいに正確な情報を発信する責任が求められます。

私は「せろん」と「よろん」の違いを訴えてきました。「せろん＝世論」は世間の雰囲気や大衆感情であり、今で言えばＳＮＳなどによって醸成されやすいものです。これに対して「よろん＝輿論」は、公的意見、つまり、公に対して責任を担う意見を指します。

「輿論」は、反対意見も突き合わせて討論を重ね、その上で形成された合意のことであり、その過程には他者がいます。そこでは「説得コミュニケーション」が盛んに行われているわけです。しかし、ＳＮＳの世界では反対意見が見えてきません。

マスコミが中心だった「情報社会」とは異なり、ＳＮＳの普及の背景にあるのは、感情型の「情動社会」です。快か不快か、ウケるかウケないかで受容され、情報の真偽はあまり問題にされません。

それでも考えてみれば、ＳＮＳの流通以前から、世の中は情報の真偽によって合意を得るよりも、〝好き嫌い〟や〝共感〟によって動いてきた部分が大きい。現実的には「情動社会」であり続けてきたわけです。クラス対抗の学校行事で団結を図ったりすることも、人が感情に従って動くことの例です。

しかし、行き過ぎた情動社会は暴走する危険性をはらんでいます。そこにブレーキをかけるためにも、正しい情報で他者を説得しようとするのは避けては通れない努力であり、「輿論」の担い手であるジャーナリズムの役割も大切になります。

他者を見失った「二項対立」の思考

――コロナ禍のさまざまな問題を、「感染抑止か、経済優先か」といった「二項対立」に当てはめてしまうのも、情動社会の特徴です。

そうした二項対立になってしまうのは、他者が見えていない典型的な例だといえます。自分以外は「敵」とする考え方ですから。第三者の意見に耳を傾けないことで、多角的な視点が欠落してしまうのです。

確かに人間は、得てして自分の利益や欲望に向かいがちです。その極端な傾向を否定するものとして、自分ではない他者を立てるわけです。自分は善で、相手は敵といった見方にならないことが重要です。

その点、情動社会が暴走する危険性をはらむのは、説得ではなく〝好き嫌い〟や〝共感〟で動くからです。「仲間だよね」という共感を得るための、一番手っ取り早い方法は、敵を設定することなのです。ナチス・ドイツにとってのユダヤ人がそうでした。敵が設定されると、他者がますます見えなくなり、説得の必要もなくなります。そうして、嫌悪や憎悪といった感情の、増幅的なプロセスに陥る可能性があるわけです。

そして、共感を得るために設定するこの「敵」は、誰か別の人ではなく、自分の暗い闇の部分を投影していることが多くあります。自分では否定したいと思っている感情や欲求を、覆いかぶせる適当な存在を見つけると、それを敵として設定するのです。敵とは自己の分身なのですから、「友か敵か」といった対立に、安易に乗せられないよう注意すべきです。

ではなぜ、私たちはこの二項対立の思考にはまってしまうかといえば、「あいまい情報」に耐えるのが苦しいからです。

このあいまいさに耐える力を指す言葉として、精神科医で作家の帚木蓬生さんは「ネガティブ・ケイパビリティ」を挙げ、言葉をこう定義しています。「性急に証明や理由を求めずに、不確実さや不思議さ、懐疑の中にいることができる能力」と。

まさしく、あいまいな状況の中で耐える力を医学の立場から表現しており、複雑な問題を、単純化して捉えないための心構えであると思います。

意見の異なる他者との対話が感情で動く社会の過激化防ぐ

――意見の異なる他者とあえて関わり、意見を交わし合おうとする努力の積み重ねが、ＳＮＳ時代に失われがちな他者への視線や思いやりを育むのではないでしょうか。

そう思います。市民の立場でいうと、例えばＳＮＳで自分とは興味や関心が合わないような人ともつながり、決して「快」とはいえない情報が入る状況をつくることです。そして、そこで出あう他者と、どういう会話が成り立つかを考えることがリテラシーを養う第一歩になると思います。

自分とは全く違う世界に生きる人と知り合う機会は、実際の生活ではなかなかありませんが、ＳＮＳでは簡単です。そう考えると、ＳＮＳも有害なことばかりではなく、他者とのコミュニケーションの敷居を、低くしている側面もあるのですね。

異なる意見や考えを持っている人と触れ合い、議論を重ねることは、情動社会の過激化にブレーキをかけるということでもあります。他者を〝説得〟することを意識して、情報を伝えたり、共有したりするからです。

もちろん、合意を形成することを目指していけば、反対意見を認めてもらえない人も一定数は出てきます。しかし、議論のプロセスに参加すること自体に価値があります。

また一方で、一つの〝正解〟に導くのではなく、ただ分かち合うことだけを目的にする時もあるでしょう。そこでの議論は、いわば〝平行線〟なわけですが、対話が継続しているということであり、とてもいい関係性だと思いますね。

平行線の対話は、交わらないという意味では〝対立〟しているようですが、その状態のままで安定しているということでもあります。「あいまいな状況に耐えている」といえますね。時には〝面倒〟だったり、〝不快〟だったりしますが、だからこそＳＮＳ時代には大切です。

現代のスピード社会にあっては、適度な時間感覚を守りながら情報と向き合い、他者とのコミュニケーションを続けられるかが問われています。

それは、一時の快楽を求めて刹那《せつな》的に生きないということでもあり、そこに宗教は大きな力を発揮できるのではないでしょうか。

物事を性急に見極めようとしたり、答えを見つけようとしたりするのではなく、あいまいな状況にあっても思考停止せず、常に対話していられるような人間関係の構築が求められていると思います。

2021年5月29・30日付掲載

「答えの出ない事態」を じっくり見つめる能力

コロナ禍の社会は未知の経験の連続で、「白か黒か」で割り切れないことばかり。だが帚木氏は、「そうした〝中ぶらりんの状態〟を持ちこたえる能力」が大事だと言う。

帚木蓬生

作家・精神科医

ははきぎ・ほうせい　一九四七年、福岡県生まれ。東京大学文学部、九州大学医学部卒業。北九州市八幡厚生病院副院長を経て、現在は福岡県中間市で通谷メンタルクリニックを開業。精神科医を務めながら執筆活動を続けている。『閉鎖病棟』『ソルハ』『生きる力　森田正馬の15の提言』『ネガティブ・ケイパビリティ　答えの出ない事態に耐える力』『襲来』など著書多数。

コロナ禍、怒り、焦燥感

——コロナ禍が一年四カ月におよび、今なお収束が見えにくい状況です。日々患者と接する精神科医として、何を感じていらっしゃいますか。

この半年くらいで、抑うつ状態、不眠などを訴えて来られる方が、だんだん目立つようになりました。コロナによる、さまざまな状況が原因にあるようです。

ある社会人の患者さんはずっとリモートワークが続くうちに、精神的に苦しくなり、腰なども悪くなったと言います。

八十代の患者さんは、昼カラオケのクラスターでコロナに感染し、入院生活が一カ月ほど続く間に足腰が弱ってしまい、リハビリ病院を経て、うつ状態でうちに来られました。

また、ある学生さんは、一年間ずっとリモート授業が続いて対面の講義を受けられず、人とも会えない、クラブ活動もできない中、精神的な不調と不眠を訴えて来られています。

――「してはいけない」ということばかり強調され続けると苦しい。「できること探し」の視点が必要だと感じます。

若者、特に学生は、頭にきているでしょう。キャンパスにも思うように行けない。就職活動も大変。スポーツも文化祭も、新入生歓迎のイベントも全部ダメ。皆で公園に集まってソフトドリンクを飲むことさえ、はばかられる。やり場のない怒りや焦燥感を募らせていると思います。

しかし、そうした状況をパッと解消するような手は今のところ、見つかりません。ワクチン接種が進むと変わるかもしれませんが、いずれにせよ、粘り強くやっていくしかない。YouTubeを活用した語学の習得、読書、趣味など、一人でもできることに打ち込むのも、一つのやり方かもしれませんが……。

今求められる「ネガティブ・ケイパビリティ」

――先が見えない状況に向き合っていくための能力として、帚木さんは「ネガティブ・ケイパビリティ」

という概念を、同名の著作等で紹介されています。

「ネガティブ・ケイパビリティ（負の能力）」とは「どうにも答えの出ない、どうにも対処しようのない事態に耐える能力」「性急に証明や理由を求めずに、不確実さや不思議さ、懐疑の中にいることができる能力」のことです。

通常は、能力（ケイパビリティ）というと物事の処理能力、つまり問題を「解決する」という積極的（ポジティブ）な能力を、私たちは想像します。しかし、「ネガティブ・ケイパビリティ」は、難しい問題に拙速な理解で解決方法を見つけた気になるのではなく、解決をいったん棚に上げ、より発展的な深い理解に至るまで、じっくり模索し続ける――そうした〝中ぶらりんの状態〟を持ちこたえる能力です。

これは、十九世紀に活動したイギリスの詩人ジョン・キーツが、手紙につづったことで生まれた言葉です。自然の美や人間の心を純粋に捉えるためには、物事を色めがねで見たり、性急に決め付けたりしないことが大事だという思いから見いだし、表した概念でした。

その後、同じイギリスのビオンという精神科医が、精神医学にも必要な能力としてこれに注目し、世に知られるようになりました。

なぜ、この概念が大事なのかというと、現実社会も人間も、その実像は「どうにも答えの出ない」ことばかりだからです。

人間は、そうしたあいまいな状態に耐えるのが苦手です。「白か黒か」という両極端の二項対立で、はっきりした端的な答えを求めたくなります。

ところが、実際の現実というものは「白」と「黒」との間にある、「灰色」ばかりのはずなんです。だから、単純明快で手軽な解答というのは、何か薄っぺらで、ともすると物事の理解が「分かったつもり」の浅いところにとどまってしまいます。腰を据えないと、そうした灰色のところにある問題を、きちんと見据えていくことはできないからです。

性急な〝解決〟を棚上げすれば、じっくりと周りを見る余裕も出てくる。先入観も取り払われる。そうすると、いろんな人の、いろんな発言に左右されることもなくなります。


――帚木さんはこれまでも、さまざまな場で「ネガティブ・ケイパビリティ」について語っていらっしゃいます。

二〇年ほど前の日本医学会総会で、私は初めて、この概念に言及しました。医学は「解決」

を求める学問で、早く解決方法を見つけて処理するものです。私は、そうしたことだけでは今後の医学は成り立たないと強調しました。まさに精神科医の仕事がそうだったからです。また当時は、治療が望めないがん患者さんなどの終末期医療が本格的に注目されてきた頃でもありました。

総会の聴衆は、初めは、私の話に驚いた顔をしていましたが、「ポジティブとネガティブの両方が必要なんですね」と、おおむね賛同を得ることができたと思っています。

私は精神科医として、多様な患者さんと出会ってきました。治療に長い時間がかかる方もいらっしゃいます。ある意味で、患者さんに付いていくしかない。お互いに、耐えていくしかない。患者さん自身が治癒に向かっていく歩みに、寄り添い続けるのです。

また、私は小説を書きますが、これも同じです。書いている途中では、物語がどういう方向に展開していくのか、自分にもはっきりとは分かりません。その状況に耐えながら書き続けるので、「ネガティブ・ケイパビリティ」という概念と出合い、私自身がとても助かりました。

また、ただ単に「耐えなさい」というだけになってしまうと、どうしても説得力がありません。ケイパビリティ、つまり「能力」というからインパクトがあって、負のイメージがパッと変わって明るくなる。

ごちゃごちゃしたところに性急な解決を求めることなく耐えるということが、一つの「能力」なのだと考えると、踏ん張れる気がしてきます。

踏ん張る力を支えるのは
見守る目・時間・称賛の言葉

――どうすれば、この能力を身に付けていくことができるのでしょうか。

それは、よく聞かれることですが、「どうすれば能力が身に付くか」と考えること自体が、分かりやすく安易な〝解決〟を求める姿勢につながってしまうかもしれません（笑い）。この概念は、頭の片隅に置くだけで十分。それだけで、気持ちが楽になるように思います。

例えば、私が精神科医として、患者さんを「こうしたい」と思っても、その通りにいかない場合が少なくありません。また、患者さんも人それぞれなので、仮に他の患者さんと似ている面があったとしても、その経験をそのまま当てはめて応用できるわけではありません。

人間において、教科書的な理解は、やはり表面的な理解と言わざるを得ず、それでは、患者さんの奥深いところに入っていくことはできないのです。

だから、常に、先入観のない〝純な心〟で、目の前にいる生身の患者さん個人と相対し、対話する。「よく、めげずに頑張っておられますね」と、病に向き合っている姿をねぎらう。精神科医がそうした感嘆の声を発していると、患者さんは力を得て、自身の回復の道を自分で見いだしていきます。また、そうやって患者を診ながら、精神科医も陶冶《とうや》されるのです。

他者が欲することに力を添え、肩を貸し、ねぎらいの声を掛ける……そうした中で、ネガティブ・ケイパビリティが育まれていくのだと思います。

――人が「現実に耐える力」を発揮するためのポイントとして、帚木さんは「目薬」という表現で、他者による〝見守る目〟の大切さに言及しています。

目薬。日薬。口薬。

この三つが大事です。

「目薬」とは、他者の見守りの目です。あなたの姿を私は見ていますよ、という眼のことです。

これがあれば、苦労している人は、その苦しみに耐えられるものです。

また、「目」から棒を一本引くと「日薬」です。時間をかけるということです。何事もすぐには解決しませんが、何とかしようとしているうちに、何とかなっていくものです。

さらに、棒を一本引けば「口薬」です。「よく頑張っておられますね」という称賛や、ねぎらいの言葉です。

この三つで、患者さんは立ち上がる。これが精神科の臨床の極意だと思っています。それは、人をありのままに見つめ、受け入れるということです。かつて私は、精神科の病院を舞台にした『閉鎖病棟』という小説を書きました。人は入院すると「患者」という言葉でくくられてしまうが、一人一人の人間は、そういうレッテルでくくれない、それぞれ固有の存在なのだ——それがこの小説で伝えたかったことでした。

人間をそう見ていく力がネガティブ・ケイパビリティです。

「思考停止」との戦い

——拙速に手軽な〝解答〟に至ったとしても、それは往々にして浅い理解にとどまり、そのことに自分でも気付かない……。つまり、「ネガティブ・ケイパビリティ」の本質とは、〝理解したつもり〟という

「思考停止状態」と戦うことにある。そう考えていいでしょうか。

まさに、その通りだと思います。私たちの現実は、「白か黒か」と二分できないことばかりです。それなのに簡単に白黒をつけてしまうのは、その「間」にあるものを見逃す、非常に表面的な思考だといえます。だから、その「間」を見つめるために、「答えのない事態」に耐えるネガティブ・ケイパビリティが大事なわけです。

「法華経」にも、そうした現実を見つめる智慧が詰まっていますね。「煩悩即菩提」などの「即」の考え方がそうです。「即」は「とりもなおさず」「それがそのまま」という意味で、「白か黒か」と単純に二分せず、混然一体の分かちがたいものとして捉える考え方です。

これは、大変な英知だと思います。「生死即涅槃」などもありますね。迷いと悟り。生と死。これらは別でありながら単純には分けられない、というのです。とてもスケールの大きな思想ですし、理にかなっている。よくあんな昔に、このような智慧に行き着いたなと思います。

私は二〇〇八年、急性骨髄性白血病を患いました。あの時、自分も「患者」になって、思ったんです。悩みとか、病気の症状とかいうものも、えらい苦しみである半面、生きている証拠ともいえるんだな、と。これも、分けられない。こっちがそういう気構えを持てば、いろんなものに耐えていける気がします。

――帚木さんは二〇一八年に、日蓮大聖人の「立正安国論」提出と蒙古襲来をテーマとする小説『襲来』を出版されています。鎌倉時代の十三世紀、災害や疫病が絶えない苦悩の社会に広がったのも、念仏という現実逃避、思考停止の思想だったといえます。

その通りですね。

『襲来』を書くのは苦労しました（笑い）。あれを書くために、「法華経」から何から、たくさん読んで勉強しました。

私が、日蓮について最も素晴らしいと感じたのは、〝即是道場（※注）〟という、法華経の思想を実践したことです。今、生きているこの世の、この場こそが「道場」（仏道修行をする場）なのだという考え方です。この言葉を知った時はうれしかったですね。

日蓮という人は、インドから伝わった仏教を探究し抜き、世界的な視野を備えていた。そして、当時は誰も持っていなかった「国土に対する意識」を、日本で初めて持った宗教人だったのではないでしょうか。それ一つとっても、本当に大きい人物だと思います。

土着の日常生活と常識感覚

——本年（二〇二一年）三月に出版された、帚木さんの最新の著作は、オウム真理教による地下鉄サリン事件などを題材にした『沙林　偽りの王国』という作品です。〝解脱《げだつ》〟という名の思考停止と、その中で起こったさまざまな事件の過程について、克明に描かれています。

　この世から離れたところに安寧の世界を見いだすという〝解脱〟など、ありえません。本作で描いた教団の姿も、自分以外は悪という、極端な二分法の世界でした。

　この作品を書いて、改めて思いました。重要なのは、土着の日常生活から得られる、「生活者としての常識感覚」なのだと。現実の日常生活は、割り切れないことばかりです。明日は雨が降ってくれと思っても、なかなか降らない。思い通りにいかない。それが世の中なのだという感覚が大事です。

　それが身に付いている人は、あまりに端的でハッキリしたものを、どこか「うさん臭い」と感じるのではないでしょうか。そうした常識感覚があれば、安易な〝解脱〟などに飛び付くこともないと思います。そういう意味で、「うさん臭さ」を捉える感覚は奥深い感覚ですね。

しかし、初めから終わりまで全部おかしかったはずなのに、多くの若い人が極端な思想に飛び付いたわけです。地下鉄サリン事件から二六年がたちましたが、二度とあんなことが繰り返されないよう、私たちは、この事件について考え続けなければなりません。

ところで、今の世の中には、ＳＮＳが浸透しています。ツイッターなどは、人をつなぐという良い面もある一方、簡便でマニュアル的な言説や、人を引き付けるための安易で極端な断定に走りやすい面もある。これも、使い方に注意が必要だと思います。


――「今、この場の現実に、真っすぐ向き合う」ことは簡単なことではないと感じます。


きちんと現実に向き合うためには、さりげなく続ける毎日の実生活に、全力を注ぐことが大事なのかもしれません。

創価学会員の皆さんが実践しておられる日々の勤行も、実生活のリズムを整える意味もあるのではないでしょうか。それが、法華経にある〝濁った泥水に蓮の花が咲く（如蓮華在水）〟という生き方にも通じるのだと思います。

患者さんに限らないのですが、〝驚くほどつらい人生を歩んでいるのに、なぜこんなにも、清らかな心を忘れずに生きられるのだろう〟と、感動させられるような人に出会うことがあります。よくここまで曲がらずに、苦労を乗り越えてこられたな——そう思わされる患者さんとの出会いは、精神科医冥利《みょうり》に尽きます。本当に、人生の勉強になるし、自分もそういう年の取り方をせねば、という気になります。

コロナ禍での価値創造

——コロナ禍の中での生活も、「白か黒か」という分かりやすい解答を求めたくなることが多いです。しかし、どちらにも割り切れない「灰色」ばかりなのが現実だということに、向き合いたいと思います。

少なくとも、経済ばかりが最優先の社会、富める者がもっと富むだけの社会では、足をすくわれる。そのことを、私たちは、明確に突き付けられたのかもしれません。
だから、コロナ禍を「災い転じて幸いとなす」機会にしていかねばならないと思います。今までの自分を振り返り、足元を見つめ直せ、というのがコロナの教訓です。手軽な単純明快さは、うさん臭い。コロナ禍は、その感覚を取り戻すチャンスでもある。そう考える中で、新しい価値を生んでいけます。

スペイン風邪が一〇〇年前だったことを考えると、これは一〇〇年に一度ともいうべき重要な機会と考えることもできます。

もちろん、感染症は自分たちが望んで得るような機会ではありません。また、コロナ禍で命を落とす人がいるのは、本当に残念で、痛ましいことです。だからこそ、この困難を無駄にしてはいけないと思っています。そういう思いが頭の片隅にあれば、今後の生き方も変わっていくのではないでしょうか。

にもかかわらず、「コロナが去ったから、さあ元の生活に戻ろう」ということでは、貴重な反省の機会を失ってしまうことになります。経済ばかりの「いけいけどんどん」ではなく、「人の役に立つ生き方」を問い続ける必要があります。それが、世界に共通する価値的な生き方でしょうし、足をすくわれにくい生き方でもあるでしょう。

中には、「自分は誰の役にも立てていない」と悩む人もいますが、悪い悩みではないと思います。それは「どうすれば人の役に立つのか」と考える出発点にもなるからです。

――創価学会員の私たちも、日常生活の中で、さまざまな人と触れ合い、自身の生き方を見つめる機会をつくっています。

世の中には今、腰を据えてじっくり考える前に吐かれる、とげとげしい言説がはびこっています。しかしながら、今この場所こそが「道場」、目の前の日常生活こそが自分を磨く場、という感覚を持つ人は、あまりそういう極端な言葉を使わず、そうした言葉に惑わされることもないのでは、と思います。

今後も、社会の難しい状況は続きそうですが、ともかく、めげずにいくことですね。めげなければ、何か進む力が湧いてくる。

「頑張れ」は、どこか人ごとにも聞こえる言葉ですが、「めげちゃいかんよ」「めげずにいきましょう」は、私も専売特許のように患者さんに語っています。

※注　「当《まさ》に知るべし是の処は即ち是道場なり」（法華経如来神力品第二十一）。「守護国家論」（『日蓮大聖人御書全集』七二ページ）

第4章

コロナ禍の「多様なリスク」と戦う

2020年9月26日付掲載

多様な不安を受け止めて、共感を示すことから始める

長期化するコロナ禍にあって、私たちはどのように不安と向き合えばよいか――。社会心理学を専門とする碓井教授に話を聞いた。

碓井真史

新潟青陵大学大学院教授

うすい・まふみ　一九五九年生まれ。東京都出身。日本大学大学院文学研究科博士後期課程心理学専攻修了。専門は社会心理学。二〇〇六年から現職。新潟市のスクールカウンセラーとしても活動する。テレビやラジオにも出演多数。著書・監修に『あなたが死んだら私は悲しい――心理学者からのいのちのメッセージ』『史上最強図解　よくわかる人間関係の心理学』など。

――新型コロナウイルスの流行は、社会にさまざまな不安を呼び起こしました。

心理学において、「不安」は、目に見えないものや未知のものに対して抱く感情とされます。一方で「恐れ」は、対象のはっきりしたものに対して抱く感情です。

人間は、ウイルスのように、肉眼で認識できないものに対しては、不安を強く抱きます。すると、その不安をかき消そうとそわそわしたり、適切な判断ができなくなったりして、非合理的な行動を取ってしまいがちです。

今回の感染が流行し始めた頃、ウイルスに関する情報が少なかったこともあり、社会全体が〝浮足立っていた〟印象があります。マスクやトイレットペーパーを必要以上に買い占めるような過剰な行動は、不安の裏返しであり、一時の安心を得るためのものという側面もありました。

「ゼロリスク」を求めすぎない姿勢も大切

――コロナ禍の影響が、今後も続いていく中で、私たちは不安とどのように対峙《たいじ》すればよいでしょうか。

危機的な状況下では、ある程度の不安は、自分の身を守るために必要です。むしろ、その不安を自分でコントロールできるかどうかが求められます。そのためには、リスクを完全になくす「ゼロリスク」のようなあり方を求め過ぎないことが大切でしょう。

そもそも、ウイルスの感染を完全に防ぐことは不可能に近い。身体的距離の確保や三密の回避など、感染リスクを抑える方法は提示されていますが、リスクを完全になくすことは難しいと思われます。

にもかかわらず、「ゼロリスク」にこだわり続けると、かえって誤った情報に振り回され、感染者への差別といった過激な行動に走る恐れもあります。不安との適度な距離が必要でしょう。

最近では、流行初期のような混乱は減っているようですが、感染リスクに対する不安の度合いに、大きな個人差が生じてきていると感じます。こうした感じ方の違いは、ライフスタイルの差となり、社会の分断にもつながりかねません。

政府の提示する「新しい生活様式」は、義務ではなく、一つの実践例といえます。大切なのはそれぞれが、自他の健康に配慮しつつ、時々の状況に合わせて自らの生活様式を生み出していくことであって、他人に強制し、縛るためのものではありません。

マスクを着用していない人に対するバッシングも問題になりました。着用しない人の中には、心肺や皮膚の疾患など、さまざまな事情で〝着用できない〟人もいます。また一方では、感染リスクに過敏になって、心身ともに余裕がなくなっている人がいることも理解する必要があります。

いずれにしても、会社や地域には、さまざまな感じ方の人がいるという認識を大事にしてほしい。違う考えを持つ人に対して、責めたりしても何の解決にもなりません。真っ向から否定するのではなく、まずは共感を示すことから始めるのが大切だと思います。

正しさは刻一刻と変化
柔軟に対応する視点が必要

——不安をコントロールする上で、情報との向き合い方も大切になります。具体的なポイントはありますか。

情報を発信する側には、感染症のような危機に直面した際のリスクコミュニケーションの質を高めることが求められます。情報の正確性は必要ですが、その上で相手が、その情報をどう理解するかという視点が大切です。

例えば、「今夜、一時間に一〇〇ミリの雨が降る」と発信するだけでは、深刻さが伝わらない可能性がある。相手に伝わる情報でなければ、不安を取り除いたり、リスクへの対応を促したりすることはできません。その意味では、単に「正しい言葉」というより、「伝わる言葉」を使うように心掛けていきたいと思います。

心理学の研究によれば、部屋を散らかした子どもに「お片付けしましょう」と言うより、あえて「散らかして遊ぶのって楽しいね！」と言った方が、子どもはきちんと片付けをするといわれます。たとえ一言であっても、相手の心情や状況を考慮した言葉使いが重要になってきます。

また情報を受け取る側にも注意すべき点があります。災害のような危機的な状況になると、デマ情報が拡散しやすい。ある研究によると、それらは二種類に大別されます。一つは「恐怖デマ」です。「こんな恐ろしいことが起きている」「今後、もっと恐ろしいことが起きる」といった情報は、もし本当であれば大変なことになります。〝家族や友人に伝えなければ〟と思う人も少なくないでしょう。そうした心理から、恐怖を煽《あお》るようなデマが広がりやすくなります。

もう一つは「希望デマ」です。危機的状況から抜け出す方法は、情報としての価値が高い。周囲に伝えたい心理が働きます。実際、今回のコロナ禍では「お湯を飲むと感染が防げる」といったデマ情報が拡散しました。

ＳＮＳが普及している現代社会では、誰もが簡単に情報の「発信者」にも「受信者」にもなり得ます。一人一人が情報の取り扱いには、慎重になるべきでしょう。


――「正しい情報」を見極めるために、私たちが気を付けるべき点は。


そもそも新型コロナウイルスは、未知のウイルスです。科学的に正しいとされる情報は、まだ決して多くはありません。専門家の論文でも、それぞれの内容が食い違っている場合もあります。現状の感染防止策も、絶対的に正しいとは言えないかもしれない。

コロナ禍にあって、「正しさ」は単一ではありません。刻一刻と変化するものだと考える方が良いでしょう。時々の状況によって、最適解を選択し、対処する「柔軟性」が求められます。

もちろん「正しさ」を求める姿勢は大切ですが、「正しさ」を求め過ぎてしまうと、情報に振り回され、デマを信じてしまう可能性もあります。メディアとの向き合い方や使い方を工夫し、意識的にテレビを消すなどして、心を整理する時間も必要でしょう。

心の免疫力高める宗教に期待

――当面の間、感染リスクがなくなることはなさそうです。その中で、不安な状況に柔軟に対応するために、心掛けるべきことはありますか。

今回のコロナ禍のように、長い間、不安にさらされると、本人でも気付かないうちに心身の健康を損なう恐れがあります。感染が流行してから約半年が経過し、少しずつ緊張が解けてきた分、今までの〝疲れ〟が出ることによるリスクも考える必要があります。

ウイルスの感染を防ぐためには、体の免疫力を上げることが有効だとされますが、同様に、不安にさいなまれないためには「心の免疫力」を高めることが大切だといえます。「心の免疫力」が高ければ、多少の不安を抱えたとしても、平静を保つことができます。

では、どのようにして高められるか――。日々の生活が充実しているか、良好な人間関係に恵まれているか、といった「日常の安心感」を持てるかが、大切になってくるでしょう。

人々に「安心感」を提供するという意味で、私は、信仰の果たす役割は大きいと考えています。信仰は、不安や困難に立ち向かうための「心のよりどころ」になります。そうして得られる安心感は、「何とかなるから大丈夫」といった〝気休め〟とは違う感覚です。

また創価学会のような地域に根差したネットワークの存在は、ソーシャルサポート（社会的支援）の役割も期待できます。悩みを相談できる存在が身近にいること、また自分自身も人のために行動できるという感覚も、「心の免疫力」を高めると思います。

人間の本質を再考させるコロナ禍

――コロナ禍という、先行きの見えない状況にあって、私たちが前向きに生きるためには、何が重要となりますか。

心理学の研究によれば、「幸福」は特別なぜいたくから生まれるわけではなく、日常生活の「安定」から生まれます。しかし、その安定はいつまでも続くわけではありません。事実、コロナ禍の影響で、私たちの日常は大きく変わりました。経済的困難や心身の不調を経験した人も多いかと思います。

変化の過程において、人間は不安や戸惑い、喪失感を抱く場合が多い。そうしたネガティブな感情を乗り越えるためには、「希望」が必要になります。ウイルスとの共存を想定した「新しい日常」に踏み出した今、多くの人が「希望」を求めていることでしょう。

今回のコロナ禍は、一側面から見れば、哲学的な問題とも捉えられます。「生きる意味とは何か」「生命はどのような存在か」――新型コロナは、そうした人間の本質を再考するような問いを示しているような気もします。

コロナ禍を機に、私たち人間の生き方に、新たな変化を生み出すことができると考えれば、そこに大きな希望を見いだせるのではないでしょうか。感染症の流行という危機的な事態を、人類の「転換点」としていけるかどうか。それは、私たちの行動にかかっていると思います。

2020年4月24日付掲載

家庭内の困難は抱え込まず「助けて！」とヘルプシーキング（援助希求）を

子育て世代に寄り添い続ける認定NPO法人「フローレンス」。その代表理事を務める駒崎氏に、外出自粛下での親子のコミュニケーションのヒントや支援策などを取材した。

駒崎弘樹

認定NPO法人フローレンス代表理事

こまざき・ひろき　一九七九年生まれ。大学卒業後、NPO法人「フローレンス」を立ち上げ、二〇〇五年、日本初の「共済型・訪問型」の病児保育を開始。一〇年からは待機児童問題解決のため「おうち保育園」、一四年には「障害児保育園ヘレン」を始めた。厚生労働省「イクメンプロジェクト」座長などいくつもの公務を歴任。著書は『「社会を変える」を仕事にする』『働き方革命』『世界一子どもを育てやすい国にしよう』（出口治明氏との共著）など多数。

――子育て世代を取り巻く環境で今、何が起きているのでしょうか。

フローレンスでは、一斉休校が始まった際、子育て世代にアンケートをとりました。休校とその延長によって、特に社会的に脆弱《ぜいじゃく》な「経済的に余裕のない世帯」や「ひとり親世帯」などの負担が増えていることが分かりました。

給食がなくなったことで、給食を主な栄養源としていた家庭の子どもたちが困窮《こんきゅう》しています。また学習面でも、各所からオンライン教材が提供されていますが、全ての家庭が十分に活用できる環境にあるわけではなく、学びの格差が開いている状況です。これらは社会的に脆弱な家庭で元々存在していた問題が、悪化して浮き彫りになったともいえます。

一方で、一見、問題がないように見える家庭もリスクは高まっています。外に出られないと誰でも気持ちがしんどくなってくるものです。加えて親は「自分が感染したら子は誰が見ればいいの？」という強い不安や恐怖とも戦っています。

「頑張らなきゃ」だけでは心が折れてしまいますが、責任感の強い親御さんほど、「家族を守るのは自分だ」と、この危機を一人で抱え込んでしまいがちです。

しかし、無理をすれば確実に家庭内のストレスは増し、ＤＶ（家庭内暴力）や児童虐待《ぎゃくたい》などに発展してしまいます。

――そういった事態を未然に防ぐには。

まずは、このような状況下で奮闘する自分自身をしっかりと褒《ほ》めてあげてください。そして、苦しいときに人に頼ることは悪いことじゃない。むしろ「良いこと」だと認識してもらいたいと思います。

助けを求めることを「ヘルプシーキング（援助希求）」といいますが、この能力は、気持ちが追い詰められると低下します。つまり、当事者は次第に「助けて」と言えなくなってしまうのです。

傷が浅いうちに手当て（介入）できれば回復は早いですが、進行し過ぎると取り返しがつかなくなります。ですから早いうちに助けを求めた方がいいと言えるのです。

子どもとのコミュニケーションは――
「せき立て」より「問い掛け」が大切

――現在の状況下で、親は子に対して、どのように接していけばいいでしょうか。

親は必ずしも格好良くあろうとする必要はありません。格好悪くてもいいんです。「お父さんも不安なんだ、この先どうすればいいか分からないよ」と子どもに素直に言っていいと思います。

「子どもが不安にならないか」と疑問を抱く方もいるかもしれませんが、大人が思うよりも子どもは、そんなに「子ども」ではないと思うんです。事情もよく把握しています。

今、私たちに必要なのは、子どもを一人の人間として認め、目線を合わせていくことではないでしょうか。「この先どうしたらいいか一緒に考えていこう！」というスタンスの方が、長期化するこの戦いには向いています。

――子どもたちの成長を後押しする上で、家族や周囲ができることは。

このコロナ危機は悲劇ではあるけれども変革の機会をもたらすという意味で、まさに〝ピンチはチャンス〟という側面があると思っています。

苦しい状況に変わりはないですが、家族の自由な時間が増えたのもまた事実です。この機会を利用して、子どもの主体性を引き出すための経験を積んでみてはどうでしょうか。

一般的に、子どもに「ああしなさい、こうしなさい」と命令するよりも、「どうしたらいいと思う？」と問いを投げ掛けていく方が主体性を育む教育には良いとされています。

多忙である平時は「早く宿題をしなさい」「寝なさい」と、親はスピード重視の行動を子に要求しがちです。でも今は「待てる時間」がある。「勉強しろ」ではなく、「今は何の時間かな？」と問い掛けて、子どもが自分で考え、意思決定できる機会にできます。

いつもは「せき立てコミュニケーション」ともいえるのですが、今は「問い掛けコミュニケーション」がもっと増えてもいいのかもしれません。

アウトリーチ（現場に出向く支援）とオンラインの双方向で

――行政や社会に求められる子育て世帯への支援策には何があるでしょうか。

一つは「アウトリーチ型」の支援で、困っている人のもとに支援員が出向き、アプローチしていくことが重要です。フローレンスでも「こども宅食」（注）の支援を推進してきましたが、これまで行政や社会では、アウトリーチ型の支援の動きがほとんどありませんでした。一刻も早く検討してもらい、各地で困難を抱えている人にアプローチしていく支援を強化していく必要があると思います。

二つ目は、「学校教育のオンライン化」をできるだけ速やかに進めることです。パソコンや通信環境が整っていない家庭もあります。そういった場合は、パソコンとモバイルルーターを通信料込みで貸し出すという方法もあるかもしれません。

三つ目は、ＤＶや児童虐待が増加していますので、「オンラインによる相談窓口」の充実が急務です。「このままだと虐待してしまいそうだ」と少しでも感じたり、わずかでもDVの可能性を感じたりした人が、兆候の段階でも遠慮なく相談できるように整備していくことが望まれます。

――オンライン技術の活用が、目下の課題解決には欠かせないのですね。

例えば、今回のコロナ危機による医療資源不足を背景に、オンライン診療が期間限定で解禁されました。これがもし恒久化されたならば、医療資源が少ない医療過疎の村と都市を結び、医療を提供することが可能になります。

また、オンライン教育も同じです。教師とのやり取りがオンラインでできるようになれば、過重労働が指摘されてきた教師の負担も軽減でき、教育の生産性も向上させていけるでしょう。さらには、これまで教育から遮断されていた、病院でずっと入院している子どもや、医療的ケア児のような在宅が必要な子どもが教育の恩恵にあずかれるようになります。

コロナショックを機に、今後さまざまなアップデート（更新）がなされていくでしょう。それはコロナで開いた穴を埋めつつも、これからのコロナ後の時代、あるいはコロナと生きる時代においで価値を生じる方向につなげていけるものです。

学会青年部の「ステイホーム」運動に期待

――最後に、創価学会に期待することは何でしょうか。

セーフティーネット（安全網）から誰一人こぼれ落ちないように、友人や知人にも「つらいよね」「分かるよ」と気持ちを共有し、「依存し合いながら自立していく」方向に進んでいきたいと私自身は考えています。

創価学会は、国家でも個人でもない中間団体として機能している日本でも稀有なコミュニティーといえます。ぜひ、歴史上まれにみる有事である今こそ、その力をいかんなく発揮してほしいと願います。

人々のつながりを強めるには、オンラインツールが鍵となりますが、当然、そういったツールに不慣れな年齢層の方々もいると思います。しかしそこは、多様な年代の方々がいるという組織の強みを生かして、デジタルに強い世代の方たちが高齢世代に活用方法を伝えながら、うまく巻き込んでいってほしいと思います。

学会青年部がツイッター上で「ｓｔａｙｈｏｍｅ（ステイホーム）プロジェクト」を行っていると伺いました。青年部の皆さんが社会全体で行われているステイホーム運動を先導していってください。

今後、これまで顔と顔をつき合わせ、直接会って励ましてこられた「アナログの手法」に、「デジタルの手法」も吟味しつつ加えていただき、新しい形の創価学会のコミュニティーづくりにも挑戦していかれることを期待します。

注　**「こども宅食」**

子どもの貧困をなくす取り組みの一つ。食品の宅配をきっかけに安心できるつながりをつくり、さまざまな支援につないでいく。二〇一七年、フローレンスは東京都文京区と六つの団体でモデルをつくり、翌年、こども宅食を全国に広げる取り組みを佐賀県でスタート。現在、緊急支援として、フローレンスと沖縄県那覇市の「おきなわこどもの未来ランチサポート」が協働し、沖縄でこども宅食モデルの支援を開始した。

2020年4月27日付掲載

世界を翻弄する情報パンデミック

SNSの登場でデータの拡散力が飛躍的に高まった結果、「情報パンデミック（世界的大爆発）」という新たな現象が世界を翻弄している。メディア論が専門の渡辺名誉教授に聞いた。

渡辺武達

同志社大学名誉教授

わたなべ・たけさと
一九四四年、愛知県生まれ。同志社大学教授、同大学メディア・コミュニケーション研究センター代表、ハーバード大学客員研究員などを歴任。著書に『メディア・リテラシー――情報を正しく読み解くための知恵』『メディアと情報は誰のものか』『市民社会と情報変革』、編著に『メディア用語基本事典』など。

新型コロナウイルス感染拡大の二次被害

――二〇二〇年二月下旬、「トイレットペーパーが不足する」とのうわさが広がり、買い占め騒動が起きました。世界各地でも同じ現象が起きています。うわさや誤情報が事実と信じられる背景には、どのような要因があるのでしょうか。

大別して、二つの要因が考えられます。一つは、マスメディアが真偽を確認する前に広がっていくこと。もう一つは、自身で確認する手法がないことから、不安になり、誰かに伝えたくなることです。とりわけ、人は情報の内容を吟味する際、自分のメリットになるかどうかに判断基準を置く傾向が強い。

新型コロナウイルスの感染拡大について、ＳＮＳでは、例えば「ニューヨークの医療関係者によると……」「中国・武漢の研究者によると……」との〝まことしやかな〟情報が広がりましたが、危ういといえます。結論的には鵜《う》呑《の》みにしないことですが、簡単ではありません。間接的な情報を友人から得ると、「友人だからこそ、公式な発表ではない貴重な情報を教えてくれた」と信じ、転送してしまうからです。

――「新型コロナウイルス対策で有効なのは……」という情報もよく見ました。SNSを通じ、デマ情報が一気に広がる現象について「情報パンデミック」という新語が生まれています。

「パンデミック」は元々は生物学の用語ですが今では、感染症・伝染病の世界的な大流行の意味で使われています。

狭い地域に限定された疫病である「エンデミック」、これまで感染が見られなかった地域・集団に遺伝子の一部を変えながら広がる「エピデミック」に対し、パンデミックは世界中に広がった状態です。

ネット上では、情報がかつてないスピードで国境を越えています。その状況を感染症の拡大に重ねて造られた言葉が、情報パンデミックです。

情報パンデミックの現象に善悪の価値評価もその基準もありません。今回、悪い印象が先行しているのは、情報が急に拡散することで、信頼できる情報へのアクセスを困難にする状況が生まれているからです。

この現象は、世界規模の〝井戸端会議〟に例えると、分かり易いのではないでしょうか。思うことをしゃべって、意見交換するのが井戸端会議です。情報の真偽は、毎日会う人と話しながら確認していく。しかし、SNS上では、情報がいったん流れると、それを発信した人に会って真偽を確かめることができません。井戸端会議の負の側面が最も強く表れているのが、情報パンデミックといえます。

問題は、誰かが知り得た情報を正しいかどうかに関係なく、直感的に信じて流してしまうこと。それがSNSを通じ、急激に広がっているのが現在です。

中国人や医療関係者に広がる不当な差別

――差別の被害が深刻です。全国的な人気を誇ったコメディアン・志村けんさんが新型コロナウイルスに感染し、先月（二〇二〇年三月）二十九日、亡くなりました。その時、「中国人に殺された」などと、憎悪を煽るツイートがネット上にあふれました。

中国の武漢で最初の感染爆発が起きたことは事実ですが、だからといって、中国人を差別することは本来、あってはなりません。

合理的ではない判断をしてしまう人が社会にいるということです。とりわけ、ネット上には日常生活で接触したことのない人からの極端な考えや言説に出合う機会が多く、十分に注意したい。

米国では、中国人だけでなくアジア系の人たちへの暴行事件さえ起きています。多民族・多言語社会で、貧富の格差が大きい米国では暴力事件が起きやすいといえます。それに比べると、日本では、公の場での大規模なヘイトクライム（憎悪犯罪）は起きにくいと考えられますが、差別はどこにも潜在的・構造的に存在します。社会の暗部です。匿名の憎悪表現がネット上に見られるのは、その表れといえます。

デマに惑わされず、冷静な対処を

——医療従事者が感染したり、院内感染が相次いでいることに対し、ネット上で医療従事者への心ない書き込み、誹謗《ひぼう》中傷が見受けられます。不条理な被害は家族に及び、近隣の住民から遠ざけられたり、保育所から子どもの預かりを拒否される実態があります。

私たちの命を守るために、今、最も大変な医療現場の最前線で戦っている方々やその家族を差別するのは、もってのほかです。不確かな情報や誤解に基づく差別、偏見、いじめなどは人権侵害そのものです。

「なぜ、差別が起きるのか」「社会はどんな差別を抱えているのか」という意味や実態を理解しようと心掛け、デマに惑わされず、冷静に対処しなければなりません。正しい知識に基づいて行動することが大切です。

その上で、医療現場で感染が広がらないために、どうすればいいかについて、社会全体で考え支援していく必要があります。

――欧米の社会では、医療従事者に感謝を伝える取り組みが広がっています。

一般の人々が決まった時間に、アパートのベランダなどに出て拍手しています。日本各地でも同様の動きが見られ始めました。拍手によって状況が好転するわけではありませんが、気持ちを形にするという意味では素晴らしいことだと思います。

――新型コロナウイルス関連の報道を通じて、新聞やテレビなど既存のメディアには、どのような印象をもちますか。

既存のメディアは、多くの読者・視聴者を獲得しようと、派手な手法で、センセーショナルに訴える面があります。意図的に虚偽の情報を流すことはないのですが、曖昧《あいまい》な情報を断定的に伝えることは、よくあります。

新型コロナウイルスの関連報道では当初、〝奇妙な、不可解な感染症が流行している〟と、恐怖感や不安を煽《あお》りました。

もちろん、感染拡大に対して警戒し、きちんと備えなければなりませんが、個々人が冷静な判断力で基本的対処ができるよう、正確な情報、医学・科学的な解説、情報の事実確認などを読者・視聴者に提供するべきです。

現在、市民の暮らしや家計、とりわけ中小企業の経営が危機に直面しています。経済問題について「社会や生活を、どう立て直すか」という視点からの情報も積極的に交換されるように、既存のメディアが貢献してほしいと願っています。

メディアリテラシー（情報を読み解く能力）の向上へ――
信頼できる仲間との対話が重要

――ＳＮＳが広がった情報化社会において、一人一人が正しい情報を得るには、どうすればいいのでしょうか。

ＳＮＳには批判が多い一方、ＳＮＳは既に世界中の大多数の人々に使われています。個人間の情報のやりとりだけでなく、専門家による調査等にも役立っている。今では、ネットやＳＮＳなしに、グローバルなネットワークも、個人間のコミュニケーションも成立しえません。グローバルな経済活動にアクセスするにも、ネット利用なしには考えられないのです。

しかし、一般の人々が情報を読み解く能力、すなわちメディアリテラシー・情報リテラシーは、それに追い付いていないというのが現状です。

正しい情報を得るには、日常生活の中で、情報の信用度について話し合う、信頼できる友人や仲間がいるかどうか――。今一度、情報のつくり方を「人対人」の関係から捉え直していく必要があるでしょう。そうした仲間を増やしていくこと、あるいは創価学会のように、信頼できる仲間や多様な専門家のいる団体・組織が重要です。

――社会として、どう取り組むことができますか。

利益やビジネスにつながる情報が極端に重視される情報社会の構造を変えていかなければなりません。長期的には、メディアリテラシーやメディア倫理・法制の教育を一層充実させるべきです。メディアの専門家だけでなく、社会の団体・組織がグローバルな課題として向き合うことが求められます。

2020年6月24日付掲載

コロナ禍で見落とせない「多様なリスク」への視点

「ウィズコロナ」という言葉が表すように、当分の間、私たちの生活は新型コロナウイルスとの〝共存〟が想定される。こうした状況下で向き合うべき課題を、開沼准教授が語る。

開沼 博

東京大学大学院准教授

かいぬま・ひろし
一九八四年生まれ。福島県出身。東京大学卒。専攻は社会学。福島原発事故独立検証委員会（民間事故調）ワーキンググループメンバー、復興庁東日本大震災生活復興プロジェクト委員、立命館大学准教授などを歴任。二〇二一年から、東京大学大学院准教授を務める。主な著書として、『はじめての福島学』『漂白される社会』『フクシマの正義』などがある。

――コロナ禍が長期化する現状を、どのように考えていますか。

日本においては、ウイルス感染による「直接的なリスク」は、抑えられつつあるといえます。むしろ今後は、コロナ禍の影響で起こる「間接的なリスク」を一層、考慮していくべきでしょう。具体例の一つは「健康リスク」です。外出や人との交流が減っていることで、心身に不調をきたす恐れがあります。社会的孤立から、自死に至る場合も想定されます。また「経済的リスク」も深刻です。今は飲食業や観光業などが影響を受けていますが、今後、他の業種へも広がっていくでしょう。

他にも、高齢者の認知機能の低下や児童虐待・DV（家庭内暴力）の増加など、挙げればキリがありません。

今日の状況は、二〇一一年の東日本大震災後の状況とよく似ています。福島県において、地震や津波で亡くなった方は、一六〇五人を数えます。一方、避難生活の中で心身の体調を崩して亡くなった「震災関連死」の数は、二三〇八人に上ります（二〇二〇年六月十六日現在）。「直接的リスク」もさることながら、「間接的リスク」も、私たちの社会に深刻な影響を与えるのです。

かつての日本社会は「貧・病・争」（貧乏・病気・争いなど）が、人々にとっての主要なリスクでした。ある意味では、分かりやすかった。その後、経済発展に伴い、国民全体の生活水準が高まると、人々の生活が多様になり、立ち現れるリスクも多様化・細分化されました。そのため、一般には〝見えづらい〟リスクが増えていったのです。

社会全体が、こうした細かなリスクを見落としてしまえば、東日本大震災の後に「震災関連死」が問題になったように、「コロナ関連死」と呼ばれる問題が顕在化するのではないかと危惧《きぐ》しています。

――今後、コロナ禍と向き合う上で必要な視点は。

小さなリスクにも目を配る「多元的なリスク観」が求められます。

そうした視点に立つことで、全体の被害逓減《ていげん》に大きく貢献する場合もあります。一八五三年に起きたクリミア戦争の際、ナイチンゲールは、戦死者の死因が、戦闘で受けた傷自体よりも、治療現場の不衛生によるものの方が多かったことを、統計を用いて解明しています。その後、衛生管理を改善し、死者数を大きく減少させました。こうした彼女の姿勢は「多元的なリスク観」に立ったものといえるでしょう。

しかし現状を見ると、「感染リスクの抑制か、経済危機からの復興か」という二項対立の議論ばかりが目立ちます。３・11の後、「原発か、脱原発か」との論争が多く取り上げられた構図と同じです。

こうした問題は早々に解決できるわけではありません。それにもかかわらず、延々と二項対立の議論が続けば、課題解決に向けた本質的な議論は一向に深まらず、多くの人が抱える「多様なリスク」が抜け落ちてしまう恐れがあります。

オンラインなどの活用を通して新たな「顔の見える関係」をつくる

――危機的な状況に直面した場合、多様なリスクがこぼれ落ちてしまう理由は何だと考えますか。

さまざまな理由がありますが、一つは、日本社会の〝特殊性〟といえるでしょう。

社会学には「社会統制」と「社会化」という概念があります。「社会統制」とは、秩序の維持のために、個人の行動を規制するメカニズムのことで、法や制度などを指します。一方で「社会化」とは、人々が、集団や社会の行動様式を取り入れる過程を意味します。ここでは〝暗黙のルール〟と考えてもよいでしょう。

(二〇二〇年)四月に発令された「緊急事態宣言」は「社会統制」に分類されます。ただし、この宣言には、法的な強制力はほとんどありません。それにもかかわらず、国民の多くは宣言に従い、外出や店舗の営業などを自発的に控えるようになり、五月二十五日には「緊急事態宣言」が全面解除になりました。これは、政府の提示した行動様式を取り入れる「社会化」が、強く働いたことを意味します。

しかし、その一方、〝自粛警察〟と呼ばれる、一般市民による私的な取り締まりや攻撃、感染者のあぶり出し、医療従事者やその家族への差別行為など、「社会化」の〝負の側面〟も多く見られました。

人々のライフスタイルや生活環境は多種多様です。中には、止むに止まれぬ事情から、緊急事態宣言下であっても店舗の営業を続けた人もいたでしょう。

それにもかかわらず、日本社会には、そうした人たちへの想像力に欠ける部分があり、全体から逸脱する人を「悪」と捉えてしまう傾向がある。言ってしまえば「社会化」の行き過ぎが、多様なリスクを〝見えづらい〟ものにしている原因といえます。

――多様なリスクを見逃さないためには、何が必要でしょうか。

地域のつながりが豊かになることが大切だと考えています。そうすれば、ある人がリスクを抱えたとしても、皆で助け合うことができるからです。そのためにも、人とのつながりを形成する、「サードプレイス」(第三の場所)のコミュニティーが求められます。

これは、社会学者オルデンバーグの提唱した概念で、家庭(第一の場所)や会社・学校(第二の場所)とは異なる「場」のことです。地元の喫茶店や居酒屋、身近な集会での交流などを指します。こうした場では、ゆるやかな「顔の見える関係」の中で、豊かな教養やつながりがつくられやすい。そこで生まれる信頼や安心感は、「共助」(助け合い)の輪を育む上で大変に有効です。

しかし、「個人化」の進展した現代社会にあっては、そもそも「サードプレイス」の存在が減少している。さらに追い打ちをかけるように、新型コロナウイルスの感染拡大によって、そうした「場」に集まりづらい状況が生まれています。

こうした苦境の中で、どのように「顔の見える関係」を構築できるか――つまり、〝新たな日常〟における新たなコミュニティーのあり方、「共助」のあり方が、今後、求められます。

個人間の情報格差をなくし社会の中に共助の基盤を

――ここ最近、オンライン上での交流が活発に行われるようになってきています。

直接会っての交流がしづらい状況は、しばらくの間、続くでしょう。そうした中で、オンラインを活用して交流し、支え合う流れをつくることは、有効だと考えています。

しかし、その裏で、見逃してはいけないのは、「デジタルディバイド」(情報格差)の問題です。インターネットを使えなければ、即座にこうした「共助」の流れから脱落してしまいます。加えて、オンラインによる教育や医療、公的サービスの申請などからも取り残されれば、大きな格差につながりかねません。

日本におけるインターネット利用率は七九・八パーセントです(総務省・令和元年版「情報通信白書」)。単純に考えて、人口の約二割が、インターネットへのアクセス手段を持っていないことになります。この二割にあてはまる層は、高齢者や経済的に恵まれない人が想定されます。

つまり、もともと多くのリスクを抱えている層です。

東日本大震災の時もそうでしたが、もともとリスクを抱えていた人ほど、災害などの非常事態が起こった際、さらなるリスクに見舞われます。今回のコロナ禍にあって、「デジタルディバイド」の問題は、その象徴的な例といえます。

単に技術的な問題と捉えられがちな「デジタルディバイド」ですが、この状況下では、人の命・生活に関わる重要な問題です。そうした人々へのサポートは、ますます希求されるでしょう。

――〝コロナ以前〟のように、直接会っての交流がしづらい状況の中で、この問題を乗り越えるためには。

個人間の情報格差をなくすには、行政による「公助」が必要になってきます。社会の中で「共助」の流れが生まれるような基盤をつくってほしいと思います。

その上で留意してほしいのは、この問題は今に始まったわけではないということです。個人化された社会では、人と人とのつながりは希薄になり、そもそも「共助」の流れがつくられづらい。長らく棚上げされてきた課題が、今回のコロナ禍で可視化されただけといえます。

だからこそ、私たちは、この課題に真摯《しんし》に向き合い、新しい「共助」のあり方を構築していかなければいけません。そうした意味で、創価学会をはじめ、個人と社会を結ぶ「中間集団」の果たす役割は大きいでしょう。「共助」には、人と人のつながりが欠かせません。東日本大震災の時も、学会の励ましのネットワークが、多くの人を勇気づけたように、今回のコロナ禍でも、「共助」の流れを生み出す起点として、その力を発揮してほしいと思います。

2020年8月22日付掲載

今日をしのぎ 明日を開く
コロナ禍の長期化に立ち向かう

湯浅特任教授は、認定NPO法人全国こども食堂支援センター「むすびえ」の理事長を務める。コロナ禍で見えてきた社会的課題や、「新しい日常」のあり方について話を聞いた。

湯浅 誠

認定NPO法人全国こども食堂支援センター「むすびえ」理事長
東京大学特任教授

ゆあさ・まこと
一九六九年、東京生まれ。二十代の頃から、ホームレス・生活困窮者の支援に携わる。内閣府参与、法政大学教授などを歴任して、東京大学特任教授に就任。認定ＮＰＯ法人全国こども食堂支援センター「むすびえ」の理事長として、貧困問題等の社会的課題について、発信を続ける。主な著書に『反貧困』『「なんとかする」子どもの貧困』など。

――湯浅理事長は、二〇〇八年の金融危機の後の「年越し派遣村」で貧困問題の支援に携《たずさ》わるなど、数々の社会課題の解決に取り組んできました。今回の長期化するコロナ禍は、私たちにどのような影響を及ぼしていますか。

本年（二〇二〇年）春、国内で新型コロナの感染拡大を抑えるため、緊急事態宣言が発令され、外出や店舗営業などの自粛が要請されました。それによって、感染拡大はいったん収まったものの、飲食や観光関連業をはじめ、多種多様な人々の生活が深刻な打撃を受けました。一方、五月中旬以降、各地で緊急事態宣言が解除され、徐々に経済活動が再開される中で、感染者数は再び増加傾向になっています。

このように「感染抑止」と「経済危機」「生活危機」は〝歯車〟のような関係にあって、どちらかを回すと、もう一方も回ってしまう状況が続いています。

自然災害の場合、発生時には人命救助最優先で復旧的な措置がとられる。それがある程度、落ち着いた段階で、生活再建・経済復興に全力を傾けていくという意味で、時間軸の移行が見えやすいといえます。しかし、コロナ禍では経済復興を強く回すと、感染拡大によって人命優先の自粛の方向に戻らざるを得ない中途半端な状況が繰り返され、時間軸が長期化していく。

これがコロナ禍の難しさであり、怖さだと感じています。
さらに長期化すればするほど、生活再建に向けての個人差、いわば「復興格差」は広がります。東日本大震災の時も、しばらくしてから孤立死や自殺の問題が顕在化しました。今回も長期化に伴うリスクには、十分注意が必要です。

――認定NPO法人全国こども食堂支援センター「むすびえ」は、全国で三七〇〇以上ある「こども食堂」のサポートなどをしていますが、どのような課題と向き合っているのでしょうか。

三月頃から、多くの学校が臨時休校を余儀なくされ、給食が食べられないこともあり、「食」に困る子どもや家庭が増えました。
これまで「こども食堂」の多くは、安価な食事などを提供しながら、地域の人たちが気軽に集まれる場所として機能してきました。しかし、コロナ禍によって一緒に食事をすることが難しくなった。そのような状況で、衛生面等の対策をしながら、食材等を取りにきてもらい配布するフードパントリーや、個別に宅配するなど、創意工夫しながら事業を継続しようという動きがありました。

そこで「むすびえ」では、各地の「こども食堂」で使ってもらえる食品や運営資金の調達を目指し、全国的に寄付を募り、大きな支援をいただき、現場に届けることができています。ここで大切にしてきたテーマは「今日をしのぐ　明日をひらく」です。

「平時のつながり」づくりと「非常時の安全網」の構築を

――「むすびえ」が今回の取り組みのテーマに掲げた「今日をしのぐ　明日をひらく」には、どのような思いが込められていますか。

「今日をしのぐ」とは、生活危機の進行に歯止めをかけ、生活の崩壊を防ごうという視点です。フードパントリーや宅配などの取り組みが当てはまります。「明日をひらく」とは、コロナ禍からの復興、さらには行政や企業などと連携して、誰も取り残されない地域を目指す、中長期的な視点を意味します。

六月中旬、「むすびえ」は、全国の「こども食堂」を対象にアンケート調査を実施しました。その中で印象に残ったのが、「こども食堂」で人が会話できなくなると、「食べるだけの場所になることへの疑問がある」「多世代の交流ができないのが残念」といった、「こども食堂」の「本質」に立ち返る記述が多かったことです。「明日をひらく」という観点で、このことは非常に示唆的だと考えています。

感染流行する前の平時にあっては、「こども食堂」は、食事提供だけではなく、地域の交流を促進する場でもありました。いわば〝アクセル〟の役割です。そして、コロナ禍という非常時にあっては、食事提供を通して、生活危機に歯止めをかける〝ブレーキ〟の役割があるといえます。

「平時のつながり」と「非常時のセーフティーネット（安全網）」――アクセルとブレーキを踏み分けるように、この二つのサイクルを循環させることが、地域におけるつながりを豊かにし、結果的には災害に強い地域をつくっていきます。「こども食堂」には、その〝起点〟としての機能が期待されています。

「こども食堂」が初めてつくられたのは二〇一二年。東日本大震災の翌年です。その後も、日本では多くの災害が発生しました。そして、それに呼応するように、「こども食堂」も全国各地につくられていきました。愛媛県の宇和島市は、もともと、「こども食堂」がありませんでしたが、一八年の西日本豪雨水害の後の一年間で一三カ所も開設されました。

「病気になって初めて、健康のありがたみを知る」といいますが、非常時になって、多くの人がつながりや居場所の大切さを実感したのでしょう。そうした経験の蓄積が、「こども食堂」をつくる機運を高めた、と考えられます。

――「新しい日常」を考える上で、リスクとの向き合い方は欠かせないテーマの一つといえます。その点、湯浅理事長はどのように考えていますか。

ここ一〇年、日本は多くの災害に見舞われました。そのことを考えると、社会は「長い平時の合間に非常時がある」のではなく、「非常時と非常時の間に平時が織り込まれている」と捉える方が適切ではないかという気がします。平時と非常時の反復そのものが、「新たな日常」ともいえるでしょう。

今回のコロナ禍も、ワクチンが普及しない限り、リスクは大きくは減少しません。先月（二〇二〇年七月）の豪雨水害では、避難所での感染防止が迫られたように、複合的なリスクが立ち現れることも視野に入れる必要があります。

また非常時というのは、社会全体で同時になるものとは限りません。個人や家族単位で見れば、交通事故や病気などは、いつ何時、誰に起こっても不思議ではありません。昨日まで〝支える側〟にいた人が、急に〝支えられる側〟に回ることもあります。

そう考えると、今まで以上に重要視されるのが「地域」の存在です。コロナ禍の影響で、私たちの生活圏域が縮小したこともあり、そう実感している方も多いのではないでしょうか。自分の周囲に「非常時のセーフティーネット」を築くためにも、いかにして「平時のつながり」をつくっていけるかが、この「新しい日常」を送る上で大切な視点になります。

二〇二〇年という節目に感染症の世界的大流行が起こったことは偶然にすぎませんが、私はそこから二〇二〇年代を生きる教訓を引き出したいと考えています。今までの一〇年は、多くの災害を通して、人とのつながりや居場所の重要性を実感した一〇年でした。そして、これからの一〇年は、リスクに強い地域・社会を定着させるための〝勝負の一〇年〟だと思います。

「誰も置き去りにしない世界」をうたうＳＤＧｓ（持続可能な開発目標）のゴールでもある二〇三〇年をどのように迎えるか——今の私たちの行動が、問われている気がします。

多様な悩みを包摂できる〝居場所〟の存在が不可欠

――現代は「無縁社会」といわれるように、人と人との関係が希薄になりつつある社会です。その中で、つながりを豊かにするために、何が必要でしょうか。

私の実感ではありますが、度重なる災害の経験を経て、社会における「共助」の感覚が強まっている印象を受けます。「むすびえ」が行ったクラウドファンディング（インターネット上で広く資金を募ること）に関しても、一〇年前だったら「そうはいっても、現実は変わらない」という冷たい反応も少なくなかった。しかし今は「一〇円でも一〇〇円でも寄付する方が、大事だ」という雰囲気があります。つながりをつくる〝土壌〟のようなものが、つくられてきたと思います。

その上で、地域社会を見てみると、〝縦割り〟の課題別組織が多く存在しています。例えば、病院や警察、役所などは、個々の課題を解決するための機関です。ある人が抱える、さまざまな課題をひとまとめに受け入れることは、しにくいといえます。

ここでいう「つながり」とは、人を課題別で見ないで、多様な悩みを、全て包摂するような深い信頼関係を意味します。

そうした関係性をつくるためには、ありのままの自分を受け入れてくれるような〝居場所〟が不可欠です。残念ながら、今の社会には、あらゆる人にとっての〝居場所〟になり得るものが不足しています。

そうした状況にあって、創価学会のように、地域に根を張ったコミュニティーは、ますます存在意義を増すでしょう。コロナ禍の中で、電話やメール、手紙などで友人とつながろうとした学会員の方は多くいたと思います。平時から〝一度つながった人とは、つながり続けよう〟という意識があってこそ、今回のような非常時に行動に移すことができるのではないでしょうか。

今後、より多くの個人・団体が「平時のつながり」と「非常時のセーフティーネット」のサイクルを回すことが求められます。それぞれが、地域のつながりを豊かにする〝起点〟となって、共々に、信頼関係を広げていきたいと思います。

2020年9月12日付掲載

コロナ禍における複合災害への備え
求められる「利他的意識」

コロナ禍の中で迎えた、本格的な台風シーズン。感染症と地震、豪雨などが重なる「複合災害」に、どう立ち向かっていけばいいのか――。災害研究が専門の二神副センター長に聞く。

二神透《ふたがみ・とおる》

愛媛大学防災情報研究センター副センター長

一九六二年、愛媛県生まれ。愛媛大学准教授。災害時の避難問題に関する研究を続ける。災害・避難シミュレーターを開発し、学生防災士の育成にも尽力。愛媛大学の公開講座や各地の防災士養成講座で講師を務める。

――二〇一八年の西日本豪雨や昨年（二〇一九年）の台風一九号、そして「令和二年七月豪雨」など、近年、自然災害による被害が増えています。

近年の地球温暖化で、雨の降り方が変わってきています。二〇一四年（平成二十六年）八月の広島土砂災害以降、毎年のように豪雨災害が続いていますが、これは雨雲が列をなすように次々と発生し、ほぼ同じ場所に流入して大雨をもたらす「線状降水帯」の影響です。局所的な大雨から土砂災害や浸水害が多発し、多くの命が失われました。

加えて、地震への備えも必要です。日本は今、地震の活動期に入っており、いつどこで起きても不思議ではありません。首都直下地震や南海トラフ地震の発生確率は、今後三〇年以内に七〇～八〇パーセントといわれています。

自分の住む場所のリスクを知る

――私たちには、どういう行動が必要でしょうか。

豪雨災害に関しては、突発災害ではないということに注目すべきです。気象情報を確認し、土砂災害警戒情報や河川水位情報に気を付ければ、行政の避難情報が出る前に、早めに避難することができます。そして、迅速な避難を徹底すれば、こうした被害で命を落とす人を限りなくゼロにすることができるのです。

地震においては、一人一人が大きな揺れへの備えを行うことが大切です。一九九五年（平成七年）の阪神・淡路大震災で亡くなった方は、八割が建物倒壊による圧死・窒息死でした。八一年（昭和五十六年）五月以前の旧耐震基準の住宅の場合は早めに耐震診断を行い、倒壊を防ぐために必要に応じた補強工事をすることが大事ですし、それ以外の家でも家具等が転倒しないよう、防止策を取ることが命を守ることにつながります。

ただ、人は、いざという時になかなか避難できなかったり、耐震対策が大事と分かっていても行動を起こすことができません。「正常性バイアス」といって、〝私は大丈夫だろう〟と脳が反応してしまうからです。そうならないためにも、一人一人が自分の住む地域の災害リスクを知り、「正しく恐れる」ことが重要です。

――自治体がホームページなどで紹介しているハザードマップは、自分の住む地域の災害リスクを知る

手掛かりになると思います。

河川の氾濫による浸水想定区域や土砂災害の恐れのある地域、活断層の場所など、災害の種類によって、さまざまな形で情報発信されていますので、この機会に確認することをお勧めします。そうした情報をもとに、日頃から〝災害が起きたらどう行動するか〟〝どんな備えが必要か〟など、家族や地域の人と話し合っておくことが大切です。よく災害では、「想定外」との言葉を耳にしますが、普段から考えていれば、想定外ではなくなります。

また私たちのセンターでは、火災延焼シミュレーションのソフトを配信しています。これに国土地理院の地図データを取り入れて変換すれば、全国どの地域でも、大規模災害時に自宅周辺で火災が起こった場合の延焼の広がりを予測し、どこに避難するのが最善なのかを具体的に考えることができます。

――最近は新型コロナウイルスの感染拡大で、「避難所に行く」といっても難しい状況がありますね。

私は先日、感染が広がる中で「令和二年七月豪雨」の被害を受けた熊本県を視察しましたが、多くの課題を目の当たりにしました。その一つがボランティアの不足です。熊本では感染を防ぐため、ボランティアを県内や市町村内の人に限定しました。そのために人手不足が指摘されました。

四年前（二〇一六年）の熊本地震では、二七〇人を超える死者に対して二〇〇人以上の災害関連死が確認されました。もし感染症拡大の中で大地震が起き、ボランティアを介して避難所でクラスターが発生すれば、助かるはずの命をつなぐことができない可能性もあります。一方、避難所でボランティア活動が制限されれば、災害関連死の増加が危惧される状況もある。コロナ禍での自然災害という「複合災害」にあっては、感染リスクを抑えるために「三密」の状況を回避しつつ、限られた人手で、いかに避難者をこまやかに支援できるかという、難しいかじ取りが求められることが分かりました。

まずは避難所の「三密」を避けるためにも、親戚や知人宅、車中泊等、避難所に行かない分散避難を平時から考えておくことが大事ですし、地震であれば、建物の耐震性を高めることで自宅での避難も可能となるので、そうした対策をしっかり行っていくことの大切さを改めて感じます。

消毒液やマスク等　持ち出し袋に常備を

――「災害弱者」といわれる高齢者や障がい者、その家族は、どのような点に心掛けるべきでしょうか。

　ご高齢の方や障がいのある方であっても、まずは自宅や周辺の災害リスクを認識し、確認することが大切です。水害・土砂災害が想定されている地域や津波浸水エリアでは、早めの避難行動を徹底することが命を守ることにつながります。

　同居家族が不在の時間があるような場合は、災害時に地域の自主防災組織や近所の方に配慮してもらえるよう、あらかじめ相談しておくことも必要でしょう。また高齢者や基礎疾患のある方は、新型コロナウイルスによる重症化率も高いので、避難所で感染しないよう、非常持ち出し袋に消毒液やマスク、体温計を常備しておくことも重要です。

　山あいの地域では、土砂崩れで孤立する恐れもあります。普段から薬を服用している方は、地域の孤立に備えて、医師との相談の上で一週間分の余裕をもって薬を処方してもらうといったことも考えられます。

まずは自助　その上で共助

――災害への対策にあっては、まさに「自助」が大切ですね。

まずは、自分の命は自分で守る。この「自助」が、何よりも大切です。自分の命を守れれば、周囲の人々の命を救うために動くこともできます。大きな災害では、消防・警察・自衛隊といった公の助け（公助）は、どうしても遅れがちになります。だからこそ「自助」を第一に考え、その上で人々が互いに助け合い、命をつなぐ「共助」が大切になります。

「共助」は地域の防災力ともいえますが、この力を育むためにも、平時から地域ごとに訓練を行い、地域の防災計画を作っていくことが重要です。しかし、この防災計画についても、コロナ禍を受け、変化が求められています。

例えば、働き方が見直され、普段は会社にいる人でも自宅で作業することが多くなりました。そうした人々を、どこで受け入れるかといったことや、地域の人々がなかなか集まれないことで、新たな事態に備えての防災計画の策定や防災訓練を行うことを難しくさせている現状もあります。

「災害の世紀」に入ったといわれ、自然災害が当たり前になりつつある今、地域のつながりをどのように強めるのかということに、ますます目を向けていかなければなりません。そうした中にあって、一人一人が〝地域のために何ができるのか〟と主体的に考えていくことが求められています。コロナ禍による厳しい制約下にありますが、オンラインなどで一人一人がつながり、知恵を出し合うことで、さまざまな問題も必ず解決の糸口を見つけていけると思います。

「大切な人を守りたい」との心が地域の防災力高める

――主体的に行動する心は、どうすれば育んでいけるのでしょうか。


一人一人が大切にしている人のことを思い浮かべ、〝どうすれば、自分の力でその人の命を守れるか〟と考えることだと感じます。

愛媛大学では、環境防災学という講義を開講し、防災士の資格取得を希望する学生を、他大学の学生も含めて受け入れています。これまで一〇〇〇人近い学生が受講しましたが、その学生を対象に毎年、アンケート調査を実施し、心理的特徴を分析してきました。その結果、一般学生と比べて「災害から家族や地域を守りたい」という意識、つまり「利他的意識」が強いことが分かったのです。

いきなり〝地域のために行動する〟といっても難しいかもしれませんが、身近な人を守るためなら、具体的に思い浮かべることもできますし、周囲の人を守ろうと思うと、想像以上の力が出るものです。

災害に立ち向かう「利他的意識」

――高齢化が進む日本にあって、若い人たちが防災意識を高めることは特に大切ですね。

各地には今、高齢化が深刻になっている自主防災組織も多くあります。これは愛媛大学で防災士の資格を取った学生たちを見ていて思うことですが、若い人たちが地域に入ることで、防災活動が活性化するだけでなく、地域自体も元気になってきていると感じます。

創価学会の皆さんは、災害時に青年部が中心となって「かたし隊」などを結成し、地域に根差したボランティア運動を展開していると聞きましたが、こうした活動は、地域にも若々しい息吹を与えていると思います。また学会の四国青年部はこれまで、「震災意識調査アンケート」を実施し、同世代の若者に防災意識の向上を訴えてきたことも知っています。高い意識をもって活動していることを実感します。

ともあれ、こうした「利他的意識」が、若者はもちろん、一人でも多くの人に広がっていくことが、これからの複合災害に立ち向かっていく上で、ますます求められていくのではないかと思います。

2020年4月29日付掲載

「情報不足」と「仕事」――在留外国人が直面する悩み

コロナ禍は、日本で暮らす外国人にも特有の困難をもたらし、顕著な影響を及ぼしている。「日本国際交流センター」の執行理事を務める毛受氏にインタビューした。

毛受敏浩

公益財団法人「日本国際交流センター」執行理事

めんじゅ・としひろ

一九五四年生まれ。徳島県出身。慶應義塾大学法学部卒、米エバグリーン州立大学大学院修了、桜美林大学大学院博士課程単位取得退学。兵庫県庁を経て、公益財団法人日本国際交流センターに勤務。慶應義塾大学等で非常勤講師を歴任し、現在は新宿区多文化共生まちづくり会議会長。『自治体がひらく日本の移民政策』『限界国家 人口減少で日本が迫られる最終選択』など著書多数。

――新型コロナウイルスの感染拡大に伴い、緊急事態宣言が全国に拡大（二〇二〇年四月十六日）しています。日本の在留外国人数は、過去最高の二八三万人（※注）で、人口の二パーセント以上。そうした人の仕事や生活には今、どんな課題が生じていますか。

大きくは二点、「情報不足」と「仕事」の課題があります。

まず「情報不足」について。

例えば、これは熊本市の知人から聞いている話ですが、行政や関連機関に、「外国人はどこでＰＣＲ検査が受けられるのか」といった相談が増えています。先月（三月）は「トイレットペーパーがなくなるというのは本当か」「マスクや消毒用品はどこで買えるのか」などの相談も多く寄せられていました。外国語での、信頼できる情報が少ないのです。

次に、「仕事」についてです。

在留外国人の方は、派遣など非正規労働の方が非常に多い。社会の経済状況が悪化すると、こうした人が真っ先に雇い止めや解雇などに遭い、生活が不安定になります。外国人が「雇用の調整弁」のような形で雇われているケースもまだまだ多く、そこに、最初に経済混乱のしわ寄せがいくのです。

ほかにも、留学生から「内定が取り消しになった」という声もあります。

――一点目の「情報不足」については、「言葉の壁」が大きいですね。

近年の望ましい変化として、政府や地方自治体で、多言語や「やさしい日本語」による情報発信が増えているという点があります。ただ、状況は自治体によって相当ばらつきがあるようです。また、日本人は日々オンタイムで最新の情報を得られますが、翻訳された情報となると、手元に届く頃には一～二週間が過ぎている、という場合もあります。

もう一つの課題は、多言語での対応が、なかなか「問題解決」までは行きつかないということです。

例えば、多言語対応の窓口に寄せられた「PCR検査を受けたい」という相談に対して、「ここに電話してください」という対応はできる。でも、指定された先に電話してみると、そこでは日本語での対応しかなく、らちが明かないということもある。困りごとに対して「困りましたね」というところで終わってしまい、本当の問題解決になりにくいのです。

――ウイルス感染拡大という状況ならではの難しさもあります。

例えば、地震などの災害は、過去の知見の積み重ねもあり、有事に起こることが、ある程度は事前に想定できます。避難所の場所、その中での対応手順や掲示物など、すでに多言語化された情報がネットでも共有されており、いざという時にダウンロードして活用できます。ところが、今回のように、これから何が起こるか分からない、いつ収束するかも分からないという状況だと、事前に構えが取れない面もあります。

――二点目の「仕事」についても、さまざまな対応が取られています。

出入国在留管理庁は先日（四月十七日）、新型コロナの影響で働く先を失った外国人技能実習生などに対し、一年間、別の職種への転職も認めることを発表しました。

厚生労働省は、「新型コロナウイルスにより会社の経営が悪くなっているときでも、外国人であることを理由として、外国人の労働者を、日本人より不利に扱うことは許されません」と明示しています。休業手当や年次有給休暇についても同様です。

こうしたことは非常に大事だと考えます。日本が外国人のことをきちんと待遇する国だという国際的なメッセージにもなり、日本で暮らす外国人も安心できます。

いずれにせよ、世の中の皆が同じ不安の中で、目の前の情報を追うのに精いっぱいになり、他者に思いを寄せる心を持ちにくくなる。そうした中で外国人の支援をするということは、非常に困難を伴うことを感じています。

考えねばならないのは、外国人には特有の不安もあるということです。日本に残るか母国に帰るかの板挟み、また、帰りたくても今の状況では帰れない、などの不安や悩みがあります。

加えて、社会の緊張が高まるにつれて差別や排斥の空気が深刻になるのでは、という不安を持つ人もいます。

試される他者への思いやり

――確かに今は、他者に意識を向けにくい社会状況といえるのかもしれません。

日本社会の、包摂の力が試されていると感じます。宗教の役割もそうかもしれませんが、「危機の中でも他者の苦しみを思う力」という意味での、想像力が試されています。それができるかが社会の成熟度、ということにもなるのでしょう。

もちろん自分も大変だけれども、社会には立場の厳しいさまざまな人がいる。その一つの大きなカテゴリーが外国人であり、そうした方々への想像力が求められています。

宗教団体には、弱者に寄り添うという本来的な役割を、今の社会状況の中で果たしていただけることを望みたいです。

また、直接的な接触を控えねばならない状況の中、それでも一人一人が誰かとつながっているのだというメッセージ、苦しいけれど負けずに現実に立ち向かう姿などを、メディアが発信していくことも非常に効果的だと考えます。

誰もが不安だからこそ、皆で力を合わせて頑張りましょうというメッセージを届け、勇気づけ合う——今まさに貴紙が取り組んでいるような発信が、特にこういう社会状況の中では重要だと思うのです。

——個人としてできることは。

できれば、周囲の人に声を掛けること。困っていませんか、お子さんはどうですか、と。もし自分が外国でこの危機に遭ったらどうか、と考えてみるといいでしょう。一言、声を掛けられるだけでうれしく、安心できると思います。

もちろん、なかなか難しい面もありますが、私も外国人の方に声を掛けてみると、さまざま不安な思いを抱いていたり、情報を捉え違っていたりということがあります。

「本音で語る」社会へ

――感染拡大が収束に向かっていったときは、社会のさまざまなあり方や感覚が、大きく変わるのではないかと感じています。

日本の「コロナ収束後」は、諸外国と違う形になるのではないかと思います。日本は高齢化、人口減少が急激に進んでいるからです。中小企業の多くは後継者不足で、二〇二五年には団塊《だんかい》の世代が七十五歳以上になります。働いていた高齢者が、コロナ収束後は一気に退職に向かう、ということも考えられます。

今の日本は毎年、人口が五〇万人ずつ減って、外国人が二〇万人ずつ入ってくる状況になってきています。日本で頑張りたいという若い外国人材を増やしていく制度設計など、これまでにない大胆な発想での施策を行っていけるかが〝収束後〟の日本を考えるカギになるでしょう。具体的には、別の職種への転職を認めた技能実習制度を、一九年にできた「特定技能」に吸収し、定住への道を開くことなどです。

——その意味でも、多様な他者と共に生きていくための「想像力」を、今のうちから鍛えておく必要がありますね。

同調を求めるのではなく、多様な他者の可能性を引き出し合っていくという発想が必要になるかもしれません。そのためには「深いコミュニケーション」が必要です。つまりは、本音で語り合うこと。目の前の課題に対して一番いい解決策は何なのかを、きちんと突き詰めることです。

それは、いわば〝面倒くさい〟ことです。でも、そこから逃げずに議論を重ね、きちんと最善の道を見いだしていくという作業が不可欠になります。仏教の言葉でいえば、慈悲をもって人と接し続けていく、ということになるでしょうか。

従来と違う価値観や、他者にない背景や経験を持つ人は、物事に違う光を当てられる人、ともいえます。そうした人たちと丁寧に議論を重ねる中で、今までは見えなかったものが見えてくる。コロナ収束後の日本は、いよいよ、それを逃げずにやらねばならない社会になっていくのではないかと思います。

※注　二〇一九年六月時点。出入国在留管理庁の発表に基づく。「在留外国人」とは、三カ月以下の短期滞在者を含まず、永住者や中長期在留者、技能実習生、留学生等を指す。

2021年2月20日付掲載

コロナ禍の中で学ぶ皆さんは〝かわいそうな世代〟じゃない

コロナ禍によって大人以上に我慢を強いられてきたのが、小・中学、高校生たちかもしれない。教育に携わる木村氏に、子どもたちや保護者へのメッセージを語ってもらった。

木村泰子

大阪市立大空小学校初代校長

きむら・やすこ 大阪市生まれ。一九七〇年から教員に。大阪市立大空小学校では二〇〇六年の開校時から二〇一五年三月まで校長を務めた。障がいの有無などにかかわらず全ての子が同じ教室で学び合う様子は、ドキュメンタリー映画「みんなの学校」（文部科学省特別選定作品）にもなり、大きな話題を呼んだ。教員生活を終えた現在、各地で講演活動などを行う。著書に『「みんなの学校」が教えてくれたこと』『10年後の子どもに必要な「見えない学力」の育て方』など多数。

こんなチャンスはないんやで！

――今春（二〇二一年の春）卒業する生徒の多くは、楽しみにしていた学校行事や目標にしてきた部活動の大会等が中止や縮小となりました。彼ら・彼女らは〝コロナ世代〟とも呼ばれ、「かわいそうだ」との声も聞かれます。

私も学生時代、水泳に打ち込んできたので、試合に出られない悔しさなど少しは分かるつもりです。でも、その上であえて言うのですが、私は今の子どもたちを一ミリも〝かわいそうだ〟とは思っていないんです。

私はコロナ禍が起こってから、つまらなそうにしていたりする若い人たちには、こう言っています。「あんたら、実はめっちゃ幸せなんやで！　こんなチャンスはないんやで！」って。

なぜなら、私たち大人の世代が若い頃に得ることができなかった〝経験知〟をいっぱい得られるから。「経験値」じゃないですよ。〝ち〟は「知識」「知恵」の〝知〟です。経験知は、自分が体験しなければ得られません。体験が経験になり、生きる知恵に変わっていくんですね。

コロナ禍前の学校生活は、言ってみれば「想定内」の学びが多かったといえます。でもこれだけ変化が激しく、一〇年・二〇年先が不透明な社会に飛び込んでいく子どもたちには、「想定外」を生き抜く力がどうしても必要になってきます。それを私は、「見えない学力」と呼んでいます。「見える学力」とは違って、テストの点数では測れない「見えない学力」を身に付ける貴重な経験を、今の子どもたちはしていると思っています。

私が初代校長を務めた大阪市立大空小学校は一五年前の二〇〇六年、「すべての子どもの学習権を保障する学校をつくる」という理念のもと開校しました。特別支援の対象となる子どもも含めて全ての子どもたちが同じ教室で学びます。校則は一切なし。あるのは、〝たったひとつの約束〟である「自分がされていやなことは人にしない、いわない」のみ。校則ではなく約束なので、破っても罰せられるのではなく、やり直せばいいということでやってきました。

それと、大空小で身に付けていく「見えない学力」として掲げた四つの力が、「①人を大切にする力」「②自分の考えを持つ力」「③自分を表現する力」「④チャレンジする力」です。

開校まもない頃、職員室で教職員のみんなと毎日のように対話しました。「正解なんてどこにもない一〇年後の社会で、どんな力があったら、ええんやろうね？」——そんな中、集約されていったのが四つの力なんです。

その時、未来がどんな社会になるかを想像し、出てきたキーワードが「多様性」「共生」「想定外」。一五年前には今ほど使われていなかった言葉でした。

子どもたちが将来、多様性の社会を幸せに生きられるように——互いの違いを認め、尊重し合うことができ、全ての子どもが安心して学べる学校を目指そうと決めたのです。子どもたちや全教職員はもちろん、保護者や地域の方々も自らが主体者となり、「自分の学校」を自分たちでつくってきました。だから「不登校ゼロ」は当たり前です。

もちろんトラブルは毎日のように起きます。困っている子もみんな一緒に学んでいるので、想定外の連続。けれどそのたびに、みんなでどうしたらいいかを考えて、〝やり直し〟ます。すると不思議と「見えない学力」が、グングンと伸びるんです。「見えない学力」が高まれば、結果として「見える学力」も向上します。大空小は、全国学力調査の平均正答率で全国一の県を上回ることもありました。

——「多様性」「共生」「想定外」は、このコロナ禍で一段とクローズアップされているキーワードでもあります。

想定外の危機が日本中を襲う中で、今まで〝蓋《ふた》〟をして隠していたものが社会全体に露呈《ろてい》してしまったなというのが、私の実感です。特に心配しているのは、他者に対する偏見や差別、そして排除です。緊急事態宣言のもと、医療従事者や宅配業者の子どもというだけで「保育園の登園を拒否された」「入学式を欠席してほしいと言われた」という声もありました。

また、〝みんなと同じことができない人〟に対して、ものすごくバッシングを浴びせることもありますよね。例えば「マスク」の着用。実は、嗅覚や触覚などの「感覚過敏」で、マスクを着けることがしんどいという人は少なくないんです。子どもたちの中にも〝マスクをすることが怖い〟〝息もできない〟って思っている子がいっぱいいますよ。でも「マスクをせえへんかったら学校に来たらあかん」と言われた子もいるんです。

オンライン授業が広がり始めた時に、自宅にＷｉ－Ｆｉ環境がない子や、スマートフォンやタブレット端末を持っていない子が、学習から取り残されてしまう懸念もあることが報道されていました。

「見えない学力」を身に付ける

――「多様性が大事」「これからは共生社会」と、いくら大人が口で言っても、子どもたちは現実をよく見ています。

インターネット上でも、自粛しない人をバッシングする〝自粛警察〟がいっぱい現れましたね。高校生の皆さんも、スマートフォンでそんなＳＮＳの投稿を見る機会が、この一年、たくさんあったでしょう。

実はそんな時こそ、皆さんにとって「見えない学力」である四つの力が自分に身に付いているかを問い直してみる、絶好のチャンスのはずなんです。

みんなと同じことができない人の状況を想像する。みんなが違って当たり前。マスクを着けられない子がいるなら、オンラインができない子がいるなら、他のやり方はないか、どうしたらいいか考える――これが「①人を大切にする力」ですよね。

ＳＮＳでみんなが書き込んでいる内容やマスメディアが発信している内容を鵜呑みにせず、

「この言葉は誰かを傷つけていないだろうか」「自分はみんなの意見に振り回されていないだろうか」「自分自身はどう思うのか」と問う――これが「②自分の考えを持つ力」です。

そこで自分なりの考えを言葉にして周囲の人に伝えたり、ＳＮＳで発信したりした人もいるかもしれません。それはまさに「③自分を表現する力」ですよね。

もちろん、自分の思いを伝えたことでそれを否定されたり、嫌なことを言われたりするケースもあるでしょう。一方で、自分が発言したことで相手の考え方が変わったり、「教えてくれてありがとう！」と感謝されたりすることだって、きっとあるはず。どちらにしても自分自身を表現しなかったら、自分をアップデート（更新）することもできないんですよね。

失敗してもいい。失敗したらそこからまたやり直せばいい。とにかく表現してみよう、伝えてみよう、行動してみようとする力――そう、これが「④チャレンジする力」なんです。

そう考えると、コロナ禍を生きる若い皆さんは、「見えない学力」を毎日毎日、高めているんですよね。特に学校を卒業して、新しい舞台に進む皆さんは「これからの社会で生きる力、柔軟な対応力を磨いてきた世代なんだ」と、胸を張ってほしいと思います。

親子で一緒に「問い続ける」

――「見えない学力」の四つの力は、義務教育を終えた私たち大人にも求められるものではないでしょうか。

もちろんです。むしろ、大人が身に付けなかったら、子どもたちも身に付きませんよ（苦笑い）。大人自身が常に「自分には今、四つの力が足りているだろうか」と問い直す姿や、実践している姿を子どもたちに見せてこそ、子ども自身も「四つの力を大事にしよう」と思えるんじゃないでしょうか。

その上で大事なことは「対話」です。よく、「大空小学校では四つの力について、どんなふうに子どもたちに教えていたんですか」と聞かれることがあります。けれど、実は特別な教え方は一切ないんです。わざわざ説明もしません。その代わりよく質問をしていました。「一〇年後の社会って、どうなっていると思う？　想像してみて」って。

これは、私が教員生活を終えた後、全国各地の教育現場などに伺った時に、そのまま子どもたちに投げ掛けてきたことでもあるんです。
「ロボットが人間の代わりをするようになるよね」「そんな社会になったら、自分が生きていくのに、どんな力が必要だと思う？」「どんな力があったら幸せになっていけると思う？」――こう聞くと、子どもたちは自分の考えを伝えてくれるんですよ。小学一年生でも、「人の話をたくさん聞いたらいいと思う」とか、「怖がらんと何でもやったらいいと思う」とか言いますから。

そこで出てきたことを四つの力に集約していくんです。例えば、「人の話を聞くことって、『人を大切にする力』だよね」とか、「怖がらないで何でもやるって、『チャレンジする力』だよね」って。面白いことに、どんなことも、四つの力に集約できるんですよ。

これは、家庭でもできますから、ぜひやってみてください。真面目に話していてもつまらないので、「四つの力の中で、今の自分に一番身に付いている力は何だと思う？」と、ゲームみたいにやってもいいかもしれませんね。親子でやると面白いですよ。親が「私は『人を大切にする力』かな」と言ったら、お子さんが「えー!?　信じられない」と言うかもしれません（笑い）。
それでいいんです。自己評価ですから。

コロナ禍に関するニュースを見ながら「これ、どう思う？」って質問するだけでも、対話は生まれます。

　でもその時、親が気を付けなければならないのは「親の正解を押し付けないこと」。親が正解を持ってしまうと、子どもが語る言葉を最後まで聞けないんですよね。途中で自分の正解を言ってしまう。でも今の社会を見ていても、正解なんて簡単には出せないことばかりじゃないですか。まして一〇年後の社会は、なおさらです。

　未来の社会を生きるのは「大人」ではなく「子ども」ですよね。大人の思っている正解は、決して子どもたちの正解とは限りません。だから子どもが自分で考えて、判断して、行動していく力を付けるためにも、親子で一緒に「問い続ける」ことが大事なんです。

生きている限り「学び」がある

――コロナ禍は今までの「当たり前」を問い直すチャンスだともいわれています。

　何のために学ぶのか。学校はどうあるべきか。そんな問い直しが社会全体で、少しずつ始まっていると思います。

「オンライン授業ができるなら、学校に行く必要はないんじゃないか」という声もありましたよね。こういう問い直し自体は、いいことだと思うんです。

けれど間違ったらいけないのは、「オンライン授業がいいのか、それとも対面授業がいいのか」という二項対立でしょう。これは分断と不幸を生んでしまいます。

そうではなくて、「オンラインだと、こういうメリットがあるよね」「オンライン環境がない人には、こういうやり方でサポートできるよね」といった具合に、いろんな考え方が生まれてきたり、「ああ、やっぱり人と直接向き合って語り合えるって、素晴らしいことだなあ」と心から感じられる自分になれたりと、全てをプラスの方向へ持っていくのが、豊かな問い直しのあり方ではないでしょうか。

学力についても、そうです。これまで日本社会は、数字で測れる「見える学力」を第一に考え、それを高めるのが学校教育の当たり前だと思われてきました。もちろん、私は決して「見える学力」を否定するわけではありません。将来、なりたい自分や就きたい職業があって、そのために「見える学力」が必要な子も、確かにいるでしょう。学校も「見える学力」で評価する方が楽だから、ついそうしてしまうんです。

けれど「多様性社会」「共生社会」そして「想定外の未来」を生き抜くには、見えない学力——

つまり「①人を大切にする力」「②自分の考えを持つ力」「③自分を表現する力」「④チャレンジする力」が必要なんです。

コロナ禍で生きる若い皆さんには全てを「学びのチャンス」にしていってほしい。過去は過去。これは、いくら頑張っても変えられません。けれど、今から一秒先は未来です。未来は、この瞬間からいくらでもつくれます。どんな失敗をしても、悔しい思いをしても、命がある限り、生きている限り、やり直せばいい。そこに「学び」があるんですから。

周囲の大人の皆さんにも、子どもたちや若い人たちが安心して学び、チャレンジできる環境をつくっていただきたいと、心から願います。

こんな時代だからこそ、新しい発想で、新しい社会を、みんなと一緒につくっていける――そう思うと、何だかワクワクしませんか。

後記

本書にご登場いただいた方々は、いずれも、その分野の知のリーダーの皆さまである。掲載から月日が経ってもなお、多くの読者の関心を引き、反響の声をいただくことができるのは、諸先生方が、巨視的な視点と、変化に揺るがぬ深遠な哲学で、希望を持って社会のありようを見つめていらっしゃるからにほかならない。

新型コロナのパンデミックが世界を覆った二〇二〇年は、折しも、国連がＳＤＧｓ（持続可能な開発目標）達成のための「行動の一〇年」をスタートした初年度であった。そのゴールである二〇三〇年は、私たち創価学会にとっても創立一〇〇周年に当たる。また、聖教新聞社も、国連の「ＳＤＧメディア・コンパクト」に加盟し、目標達成の一端を担っている。

「これからの一〇年」を私たちはどう生きるのか——人類は「災害と災害の間」を生きていると主張される歴史学者・磯田道史氏（第三章）は、まさにインタビューの中で「人類の意志と行動が試される『勝負の一〇年』であると指摘された。

コロナ禍では、「つながり」＝「縁」の大切さが強調されてきた。その意味で、言葉とは人生を導く「縁」であろう。これからの一〇年は、その「言葉の力」がいよいよ試される一〇年であることを、私たち言論を扱う機関は肝に銘じたい。

紙面に対して読者から寄せられた反響の中には、「目から鱗《うろこ》が落ちる思いでした」という声もあれば、「心の中に秘めていた思いを語ってくれた」との声も多かった。ありがたいことに、読み手側に、この災禍から立ち上がろうとする意志という「因」があったがゆえに、記事という「縁」に触れて、悩みに向き合うためのヒント、新たな発想や気付きという「果」を得ることができたのではないだろうか。

今年、聖誕八〇〇年を迎えた日蓮大聖人は、「大悪をこれば大善きたる」と仏法の眼《まなこ》から見た史観を説いた。

SGI（創価学会インタナショナル）会長の池田大作先生は、本年（二〇二一年）一月に発表された「SGIの日」記念提言「危機の時代に価値創造の光を」において、今回のパンデミックも〝困難の壁を打ち破る人間の限りない歴史創造力〟を結集することで必ず克服できると強調。その上で、「『連帯して危機を乗り越える意識』を時代潮流に押し上げ、『国家の安全保障』の対立による悲劇を断ち切る人類史転換への道を開くべき」と訴え、大悪を大善へと変毒為薬する道を指し示している。

「危機の時代」だからこそ、新たな価値創造の機会にできる。否、断じて、そうしていかなければならない。今後とも聖教新聞は、時代を照らし、読者の心に希望をともすメッセージを届ける「人間の機関紙」としての使命を果たしてまいりたい。

末筆ながら、時にはリモート取材で、時には感染防止対策をとった上での対面取材でインタビューに応じてくださり、本書の編纂にあたっては、記事の転載をご快諾くださった諸先生方に、満腔の感謝を捧げるとともに、出版の労をとってくださった潮出版社に厚く御礼申し上げたい。

聖教新聞　報道局長　荻田信宏

写真提供：聖教新聞社（P24, 67, 98, 139, 194, 206, 242, 251, 269, 279）
　　　　　水野真澄（P152）

装丁：清水良洋（Malpu Design）
本文デザイン：佐野佳子（Malpu Design）
本文DTP：standoff
構成：飯室 浩
　　　村上 進
　　　加藤伸樹
　　　金田陽介
　　　萩本秀樹
　　　志村清志

潮新書 040

危機の時代を生きる

2021年　8 月 24 日　初版発行
2022年　11 月 18 日　5刷発行

編　者｜　聖教新聞報道局
発行者｜　南　晋三
発行所｜　株式会社潮出版社
〒102-8110
東京都千代田区一番町6　一番町 SQUARE
電話　■ 03-3230-0781（編集）
■ 03-3230-0741（営業）
振替口座 ■ 00150-5-61090
印刷・製本｜　中央精版印刷株式会社
ブックデザイン｜　Malpu Design

ISBN978-4-267-02297-5　C0236